LUTHER UND SEINE FREUNDE

„. . . damit ich nicht allein wäre.“

Justus Jonas · Lucas Cranach d. Ä.
Johann Agricola · Johannes Brenz
Johannes Bugenhagen · Johannes von Staupitz
mit einem Anhang zur Geschichte
des Predigerseminars

Wittenberger Sonntagsvorlesungen
Evangelisches Predigerseminar
1998

Umschlag: Reformatorengruppe auf dem Meienburg-Epitaph,
Cranach d. J., für den Bürgermeister von Nordhausen Michael Meienburg (1491–1555)

ISBN 3-933028-09-4

1. Auflage 1998
Herausgeber: Evangelisches Predigerseminar
Lutherstadt Wittenberg, Peter Freybe

Die Bilder haben dankenswerterweise zum großen Teil die Lutherhalle bei der Stiftung Luthergedenkstätten in Sachsen-Anhalt und die Bibliothek des Predigerseminars zur Verfügung gestellt.

Herstellung: Elbe-Druckerei Wittenberg GmbH
Printed in Germany

Inhaltsverzeichnis

Vorwort

Von Peter Freybe

„... damit ich nicht allein wäre." So sehnt sich Martin Luther nach seinen Freunden, wenn ihn die teuflische Einsamkeit überfällt. Und so erlebt er die Freundschaft mit seinen Weggefährten, wenn sie da sind, als ein durch und durch menschliches Angewiesensein auf Freunde. „Ich halte es für einen geringeren Schaden, all sein Gut zu verlieren als einen treuen Freund." Aber auch das kann er sagen: „Wenn Gott nicht Freund ist, dann hilft kein Freund." Was die Humanisten des 16. Jahrhunderts in einer eher exklusiven Gelehrtenfreundschaft neu belebt hatten, das wird in der Freundschaftspflege der Reformatoren zu einem grundmenschlichen Lebensthema. So ist das antike Freundschaftsideal gewandelt eingegangen in die Wirklichkeit gelebten Lebens in der Erfahrung christlicher Gemeinschaft und Freundschaft.
„Immer bleibt Freundschaft eine Zufluchtsstätte." So nimmt ein Zeitgenosse das Thema auf. Und bei aller Einsamkeit und allem Angewiesensein bleibt die Spannung, ob wir bei „Freundschaft" reden dürfen - „von der uneigennützigsten aller menschlichen Beziehungen".
Das Lebensthema „Freundschaft" wurde als Thema der Reformatoren bisher kaum wahrgenommen. Aus der großen Vielzahl der Verbindungen mit Martin Luther werden hier nur wenige Weggefährten mit ihrer sehr verschieden gestalteten Freundschaft vorgestellt. Dabei entstehen eindrückliche Portraits von Reformatoren, die ihre Prägung freilich entscheidend in der Beziehung zu Martin Luther erfahren haben. Einem dieser Freunde ist im Vorjahr eine ganze Reihe der Wittenberger Sonntagsvorlesungen vorbehalten gewesen: „Man weiß so wenig über ihn" – Philipp Melanchthon. Ein Mensch zwischen Angst und Zuversicht.
Dieser Mensch, dieser Freund, hat über seine Freundschaft zu Martin Luther gesagt: „Ich würde lieber sterben, als von diesem Manne getrennt werden."

Justus Jonas – *Ein Leben mit und für Luther.* So läßt sich die Freundschaft des jüngeren Jonas mit dem älteren Luther präzis beschreiben. Die Vertrautheit und Wertschätzung läßt den einen sagen: „mein Jonas" – „engster Freund". Und trotz aller Nähe und Hochschätzung bleibt für den anderen stets ein scheuer Abstand. Über ihn, nicht zu ihm, konnte er staunend sagen: „das war viel ein andrer Mann; dieser Mann konnte, was er wollte." Und nach dessen Tod war er voller Heimweh nach dem „treuesten Freund und liebsten Vater“. Jonas heiratete schon 1522 seine Katharina. Und die Familie sollte für ihn zum Vorbild für Gemeinde werden, mit allen Freuden und Schmerzen. Luther schrieb in einem Trostbrief zum frühzeitigen Tod der Frau seines Freundes vom Verlust einer „gemeinsamen Lebensgefährtin“. In reformatorischer Gefolgstreue war Jonas der geniale und zuverlässige Übersetzer für Luthers Reden und Schriften. Als Seelsorger brauchten sie sich wechselseitig, so lange sie lebten. Wollte Jonas gern von dem väterlichen Freund zu Tode geleitet werden, so blieb es Jonas vorbehalten, Luther am 18. Februar 1546 die Augen zuzudrücken. Was kann es mehr geben, als solche bewährte Freundschaft bis in die Sterbestunde am Totenbett! In seinem Bericht über die letzten gemeinsamen Tage „Vom christlichen Abschied aus diesem tödlichen Leben“ ist die Treue für immer aufgehoben. *(Inge Mager)*

Lucas Cranach – *Maler der Reformation.* Wieder begegnet uns eine andere Facette von Freundschaft. Es war eine seltsame Harmonie zwischen den beiden, dem großen Reformator und dem großen Maler. Dabei gibt es kaum schriftliche Überlieferungen über diese Beziehung. „Du rühmst immer deinen Mönch zu Wittenberg“, läßt sich der langjährige Bürgermeister von Wittenberg sagen.Voneinander beeindruckt waren sie wechselseitig. Auch die Familien sind eng verbunden. 1520 ist Luther Taufpate bei Cranachs, 1525 Cranach Trauzeuge bei Luthers, 1526 Cranach Taufpate bei Luthers. In einem Brief von 1521 teilt Luther dem Cranach als einzigem mit, daß man ihn „eintun und verbergen“ werde (auf der Wartburg). 1537 hält Luther eine Trostrede zum Tode von Cranachs Sohn Hans. Eine Unzahl von Bildern sind ein deutlicher Hinweis dafür, wie schnell und konsequent der Maler die theologische Erkenntnis des Reformators übernahm und seinen eigenen Glauben danach gestaltete. So verschieden diese beiden Menschen sind, so ist die Wirkung der Reformation ohne beide nicht zu denken. Der Theologe und Dichter denkt literarisch, der Maler denkt bildlich. Dabei haben für Luther die Bilder im wesentlichen (nur) eine pädagogische Funktion. Immerhin hat ihn wohl auch die Kunst Cranachs davon abgehalten, Bilderstürmer zu werden. So ist es auch ein Freundschaftsdienst und die Verbundenheit im Glauben, mit der die lutherische Lehre hier ins Bild gesetzt wird. *(Hans Georg Thümmel)*

Johann Agricola *und Martin Luther.* Es gibt nur wenige Freundschaften Luthers, die so dramatisch verlaufen sind. Agricola ist ein „Mann der ersten Stunde“. Seit 1516 schon ist er „familiariter“ – in vertrauter Weise – mit Luther verbunden. Dabei gründet diese Freundschaft in einer seelsorgerlichen Beziehung, erstmals begegnet ihm Luther als sein Beichtvater. Aus der Entschiedenheit Luthers bei dem Ablaßstreit von 1518 springt der Funke der Begeisterung über. Und Luthers Auslegung der Leiden Christi erlebt er wie eine Befreiung: nicht Anklage, sondern Trost. Das Feuer vor dem Elstertor hat Agricola wohl selbst entzündet. Aber schon 1527 kommt es zum ersten offenen Konflikt, der sich nach wechselvollem Hin und Her nie mehr auflösen sollte. Neben unterschiedlichen Verständnissen von Gesetz und Evangelium, Ordnung und Freiheit gab es wohl auch tragisches Mißverstehen. Mit alledem lebten auch die Familien. Luther nannte dennoch Agricolas Frau Else „fast meine liebe Tochter". Trotz aller Enttäuschungen in dieser Freundschaft hörte Agricola „mit großem Schmerz, der nur wenig vom höchsten Schmerz entfernt war", vom Tode des (ehemaligen) Freundes im Jahr 1546.

(Ernst Koch)

Johannes Brenz – *Luthers Mann in Süddeutschland.* Er gehört zu der jungen Garde der Schüler, die 1518 in Heidelberg bei der Versammlung der Augustiner-Eremiten dem großen Reformator lauschten und zu grundlegenden Erkenntnissen kamen. Kam es hier, vielleicht nicht nur wegen der Entfernungen, nicht zu einer so herzlichen Freundschaft wie bei den anderen? Der Briefwechsel zwischen beiden ist leider nur äußerst lückenhaft erhalten. Sie sind sich beide auch gar nicht so oft persönlich begegnet. 1529 trafen sie sich beim Marburger Religionsgespräch und 1537 bei dem Treffen der Theologen des Schmalkaldischen Bundes. Obwohl er gar nicht zu dem Kreis der Wittenberger Freunde gehörte (wie Pomeranus Bugenhagen aus Norddeutschland und Melanchthon ebenfalls aus Süddeutschland ja auch nicht), so steht er in Stein gehauen aus gutem Grund mittendrin zwischen den Statuen der Reformatoren in der Wittenberger Schloßkirche. Luther schätzte seinen Mann in Süddeutschland als begabten Bibelausleger und entschiedenen Kampfgenossen in den Wirren der Zeit. Für Brenz war Luther so etwas wie ein Heros und Vater. In seinem Testament nennt er ihn seinen „freundlichen, lieben Lehrer".

(Martin Brecht)

Johannes Bugenhagen – *Freund und Seelsorger.* Diese Freundschaft zu Luther hat relativ spät begonnen und dann in guten wie in schweren Zeiten durchgehalten und durchgetragen. Der ‚Meister' Luther ging zum ‚Schüler' Bugenhagen zur Beichte. Und der Beichtvater blieb der treue Freund und umsichtige Seelsorger. Es war nicht eine humanistische Beziehung ‚unter Gleichen'. Diese seelsorgerliche Beziehung war dennoch wechselseitig. Luther war ein eifriger Hörer von Bugenhagens Predigten, und umgekehrt. Und trotzdem blieb freundschaftliche Kritik nicht aus. Etwa: Bugenhagen bliebe nicht beim Thema und predige zu lange. Und doch war die ständige Erinnerung an das Wort Gottes der entscheidende seelsorgerliche Trost. Seit 1523 war Bugenhagen Stadtpfarrer, und Luther nennt ihn den „Bischof der Kirche Wittenbergs“. Zur Predigtkirche Luthers wurde St. Marien lediglich dadurch, daß er für den Kollegen während dessen häufiger dienstlicher Abwesenheit sehr oft den Freundschaftsdienst der Vertretung übernahm. Der Pfarrer von Wittenberg traut dann auch Martin und Katharina, gibt seinen Namen für das erste Kind des Freundes und wird Pate bei einem Kind. Wieder umfaßt die Freundschaft die ganze Familie. Und als es für Luther 1527 zu dem fast tödlichen körperlichen und seelischen Zusammenbruch kommt, und dann noch die Pest in Wittenberg wütet, ist das Überleben ohne diese engste Gemeinschaft der Freunde kaum vorstellbar. Luther hat in ihm die „Stimme eines Engels“ gehört, „als ob Gott im Himmel selber es gesagt hat“. So blieb es dem Seelsorger und Beichtvater, seit 1523 eigentlich in der Nachfolge von Johannes von Staupitz, vorbehalten, den letzten Freundschaftsdienst zu übernehmen und für ihn am 22. Februar 1546 die Leichenpredigt in der Schloßkirche zu halten. *(Volker Gummelt)*

Johannes von Staupitz *und Martin Luther.* Neben den vielen jungen Freunden Luthers war Staupitz eher sein väterlicher Freund. Als Vorgesetzter, Förderer und Lehrer ist er ihm nahe. Er hat ihm aus der Verzweiflung herausgeholfen, ob er nun verdammt oder erwählt wäre. Als Gegner hatten sie sich einmal kennengelernt. In der gemeinsamen Erfahrung des Scheiterns sind sie sich nähergekommen. Bei der Religion hört die Freundschaft auf, diese alte Erfahrung wurde aber auch hier zum Prüfstein. Bei aller Freundschaft kam es mehr und mehr auch zum Unverständnis des Älteren gegenüber der mutigen Entschiedenheit des Jüngeren. Aber trotzdem versichert Staupitz Luther gegenüber seine „unerschütterliche Liebe“. Nach Salzburg lädt er ihn ein, „seinen größten Freund“, um dort mit ihm zu leben und zu sterben. In seinem letzten Brief an Luther von 1524 ist die Freundschaftsversicherung von Mönch zu Mönch festgeschrieben: „Meine Liebe zu dir ist beständiger als Frauenliebe“. Es gehört zu den bewegenden Erfahrungen der Reformation, daß bestehende Freundschaften auf eine harte Probe gestellt, gewünschte Freundschaften verhindert, enttäuschte Freundschaften zerbrochen worden sind – und daß die Reformation dennoch so große Freundschaften hervorgebracht hat. *(Richard Wetzel)*

Gemeinschaft und Freundschaft *im Predigerseminar Wittenberg.* Es gehört in die Wirkungsgeschichte Martin Luthers und seiner Freunde, was im Evangelischen Predigerseminar seit 1817 auf „Luthers Grund und Boden“ in Wittenberg und weit darüber hinaus erfahren worden ist. Was auf dem Gelände mit dem Schwarzen Kloster begonnen hatte, sich im Hause von Martin und Katharina fortsetzte, durch die Universität Leucorea sich ausweitete, hat sich neu konzentriert in einer Lebens- und Arbeitsgemeinschaft in der Ausbildung von Pfarrern und Pfarrerinnen der Evangelischen Kirche der Union. „Ich habe hier Freunde gefunden!", so haben es junge Menschen vieler Generationen seit 180 Jahren immer wieder erlebt. Und zwischen allen Erfahrungen von Freundschaft war es immer wieder das mutuum colloquium, das wechselseitige Gespräch und die wechselseitige Tröstung, die Erfüllungen und Enttäuschungen ertragen und getragen haben. Theologie und Freundschaft sind längst eine enge Beziehung eingegangen. Und ein Freund, das ist wie eine „Kornblume im Ährenfeld". So schreibt Dietrich Bonhoeffer 1944 an seinen Freund Eberhard Bethge, dem ehemaligen Kandidaten am Wittenberger Predigerseminar, in einem langen Gedicht „Der Freund":

Neben dem nährenden Weizenfeld,
welches die Menschen ehrfürchtig bauen und pflegen,
dem sie den Schweiß ihrer Arbeit
und, wenn es sein muß,
das Blut ihrer Leiber zum Opfer bringen,
neben dem Acker des täglichen Brotes
lassen die Menschen doch auch
die schöne Kornblume blühn.
Keiner hat sie gepflanzt, keiner begossen,
schutzlos wächst sie in Freiheit
und in heiterer Zuversicht,
daß man das Leben
unter dem weiten Himmel
ihr gönne.
...
Fern oder nah
im Glück oder Unglück
erkennt der eine im andern
den treuen Helfer
zur Freiheit
und Menschlichkeit.

(Peter Freybe)

Im Sommer 1998

„das war viel ein andrer Mann“

Justus Jonas – Ein Leben mit und für Luther

Von Prof. Dr. Inge Mager

Die humanistische und die reformatorische Freundschaftskultur wartet noch immer vergeblich auf eine angemessene Darstellung und Würdigung innerhalb der Reformationsgeschichtsschreibung.[1] Um so begrüßenswerter ist die diesjährige Witteüberger Sonntagsvorlesungsreihe über „Luther und seine Freunde“.[2] Sie kann helfen, diese bedauerliche Lücke wenigstens so weit zu schließen, daß Zugänge zu einigen Freunden Luthers eröffnet und darüber hinaus am Ende vielleicht auch die Konturen des reformatorischen Freundschaftsverständnisses erkennbar werden.
Luther war sein ganzes Leben lang umgeben von Menschen, die ihm in unterschiedlicher Weise nahestanden. Allen wußte er sich als christlicher Bruder verpflichtet; einige bezeichnete er darüber hinaus als amici/Freunde. Formen der Kommunikation waren Geselligkeit, Briefe und gelehrter Gedankenaustausch. Seine frühesten Freunde fand Luther im Augustinereremitenorden, spätere unter den Wittenberger Kollegen, andere unter den Stadtbewohnern und einige auch im eigenen Schülerkreis. Nach der Verheiratung schloß die Freundschaftspflege meist die Familien ein. Das Zerbrechen der Freundschaft mit Johann Eck 1518[3] und mit Johann Agricola 1537[4] hat Luther tief beklagt. Um so dankbarer titulierte er nach jahrzehntelanger Weggefährtenschaft Georg Spalatin liebevoll als einen „Veteranen“ unter seinen engsten Freunden.[5] Und in der großen Genesisvorlesung legte der freundschaftserfahrene Reformator anläßlich des Berichtes über die Trennung Lots von Abraham (Gen. 13) ein glühendes Bekenntnis zu zwischenmenschlichen Beziehungen als unverzichtbare Stützen für das äußere und innere Leben ab: „Ein treuer Freund ist ein gewaltiges Gut und ein kostbarer Schatz – nicht nur um äußerer Gefahren willen, in welchen er Hilfe und Trost sein kann, sondern auch um geistlicher Versuchungen willen... Ich halte es für einen viel geringeren Schaden, all sein Gut zu verlieren als einen treuen Freund“.[6]

Soweit wir wissen, war der 1493 in Nordhausen geborene, also 10 Jahre jüngere, Justus Jonas, Luthers engster Freund. Er wird deshalb in dieser Vortragsreihe als erster vorgestellt. Da es in der nun folgenden Erinnerungsarbeit um eine Freundschaft und um einen Freund geht, soll der Mensch Jonas in seiner Alltagswirklichkeit als Persönlichkeit, Ehemann und Familienvater im

Vordergrund stehen, während seine Rollen als Erfurter Humanist und Kirchenrechtler, als Wittenberger Stiftspropst und Theologieprofessor, als sächsischer Visitator und Kirchenorganisator sowie als Reformator und Superintendent von Halle dahinter zurücktreten. Zum besseren Verständnis stelle ich allerdings ein kurzes Biogramm voran: Der doppelt promovierte Jurist, Theologe und Priester Jonas wurde 1521 in das Amt des Stiftspropstes nach Wittenberg berufen. Hier entledigte er sich sofort der juristischen Lehrverpflichtung, hielt exegetische Vorlesungen und wurde Mitglied der theologischen Fakultät. Als ständiger Dekan derselben (1523–33) beteiligte er sich neben Melanchthon maßgeblich an der Universitätsreform. Daneben trieb er zusammen mit Luther die Reform des Allerheiligenstiftes energisch voran und half tatkräftig bei den kursächsischen Kirchenvisitationen, bei der Schaffung der Konsistorialordnung wie bei der Reformierung des Herzogtums Sachsen. Den anhaltinischen Fürsten diente er jahrzehntelang als Berater in kirchlichen Angelegenheiten. Seit 1541 widmete er sich der Einführung der Reformation in Halle. Infolge des Schmalkaldischen Krieges verlor er sein Hallenser Superintendentenamt und hielt sich danach durch verschiedene kirchliche Dienstverhältnisse außerhalb Sachsens notdürftig über Wasser. Mit selbständigen Veröffentlichungen von Belang ist der Prediger, Kirchenrechtler und Praktiker Jonas nicht hervorgetreten. Trotzdem zählt er zu den unverzichtbaren Multiplikatoren der bei Luther gelernten und an seiner Seite vertretenen reformatorischen Theologie.[7] Man könnte auch sagen, seine ganze Existenz war ein Leben mit und für Luther.[8]

Eine wichtige Rahmenbedingung für Jonas' Leben bestand demnach darin, daß er sich im Schatten der Großen, zunächst der Humanisten, später der Universitätskollegen Luther und Melanchthon, bewegte. Er empfand das aber nicht als Nachteil, sondern als Auszeichnung. Nannte er Erasmus, zu dem er 1519 voller Begeisterung nach Amsterdam pilgerte, ehrfurchtsvoll seinen „Vater in Christo/pater in Christo",[9] so bezeichnete er 1546 Luther als seinen „treusten Freund und liebendsten Vater"[10]. 1527 entwandt sich Jonas endgültig dem Bann des Humanismus.[11] Seitdem hing er ausschließlich Luther an und war buchstäblich sein geistlicher Sohn.[12] Beide erlebten die 20 gemeinsamen Wittenberger Jahre als eine theologisch ungetrübte und menschlich bereichernde Weggenossenschaft im Dienste der Reformation. Daß Jonas Luther von allen Freunden persönlich am nächsten stand, sahen auch die Zeitgenossen so. Auf dem von Lucas Cranach d. J. gemalten Epitaph für Paul Eber in der hiesigen Stadtkirche setzt Jonas Stöcke für die Weinreben in unmittelbarer Nähe des harkenden Luther – zwei geistes- und seelenverwandte Arbeiter im Weinberg des Herrn![13]

Nachdem Jonas sich als Begleiter zum Reichstag nach Worms im Frühjahr 1521 erstmals für jedermann erkennbar auf Luthers Seite gestellt und anschließend einen Bericht über dessen Auftritt vor Kaiser und Reich veröffentlicht hatte,[14] gab es bis 1530 keine Reise Luthers ohne Jonas und kein kirchenpolitisches Ereignis, an dem Jonas nicht teilnahm. Die innere und äußere Harmonie zwischen beiden Männern und ihren Familien war so groß, daß Jonas, dem wegen seiner labilen Gesundheit Todesgedanken früh vertraut waren, insgeheim den Wunsch hegte, Luther als Beistand in der letzten Stunde um sich zu haben.[15] Doch am Ende war er es, der dem sterbenden Reformator am 18. Februar 1546 in Eisleben die Augen zudrückte und der Öffentlichkeit über seinen Tod berichtete.[16] Wie von einer geheimen Ahnung getrieben, begleitete Jonas den Ende Januar 1546 zur Aussöhnung der Mansfeldischen Grafen in seine Heimat Reisenden von Halle aus, teilte seine letzten Lebenstage mit ihm und durfte sein Sterbehelfer sein. Er übermittelte der Nachwelt seine letzten Äußerungen, Bibelworte und Gebete und zeichnete vor allem – jeglicher Polemik zuvorkommend – sein letztes uneingeschränktes Bekenntnis zur reformatorischen Lehre auf.[17] Als armer „discipel vnd jünger von fünf vnd zwantzig jaren her“[18] meldete er dem sächsischen Kurfürsten das Ableben Luthers und schrieb sich die große Trauer über den Heimgang Luthers[19] als ein „teuer organum und werkzeug des heiligen Geistes“ am Ende des Sterbeberichtes in dem Wunsch von der Seele: „Zu einem solchen christlichen abschied aus diesem elenden leben und zu derselben ewigen seligkeit helfe uns allen der ewige himmlische vater“.[20]

Auch mit dem nicht minder verehrten Melanchthon verband Jonas persönlich und beruflich viel.[21] Man könnte bei Jonas geradezu von reformatorischer Gefolgschaftstreue sprechen. Sie fand ihren vielleicht eigentümlichsten Niederschlag in einer genialen und zuverlässigen Übersetzertätigkeit. Der die alten Sprachen meisterhaft beherrschende Jonas war nämlich nicht nur ein jahrelanger unentbehrlicher Helfer bei der Übersetzung der Bibel,[22] sondern er übertrug im Laufe seines Lebens auch noch mehr als 35 Luther- und Melanchthonschriften ins Deutsche oder ins Lateinische.[23] Selten tat er es wörtlich, vielmehr interpretierte er beim Übersetzen, ohne dem Original Gewalt anzutun. Dadurch verhalf er mancher Passage – etwa in Luthers De servo arbitrio oder in Melanchthons Loci und Apologie – zu besserem Verständnis und vor allem zu noch größerer Verbreitung. Jonas’ weitere Vorzüge als reformatorischer Mitarbeiter lagen auf dem Gebiet der Kirchenorganisation und der Predigt. Seinen Einsatz als kursächsischer Visitator würdigte Luther, indem er ihn einmal mit vollem Ernst „Erzbischof von Sachsen“[24] nannte. In diesen Jahren zwischen 1521 und 1541 an der Seite der Großen sammelte Jo-

COLLOQVIA

Oder

Tischreden Doctor Mart. Luthers/ So er in vielen

Jaren/ gegen Gelärten Leuten/ auch frembden Gesten/ vnd seinen Tischgesellen geführet/ Nach den Häuptstücken vnserer Christlichen Lehre/ zusammen getragen. Vnd jetzt

Auffs newe in ein richtige Ordnung gebracht/ Vnd nach den geschriebenen Tischreden Doct. Mart. Luth. Corrigieret.

Johan. am 6.

Samlet die vbrigen Brocken/ Auff das nichts vmbkomme.

Gedruckt zu Franckfurt am Mayn/ durch Thomas Rebarts Seligen Erben/ Anno M. D. LXXI.

Titelblatt von Aurifabers Ausgabe der „Tischreden" Luthers, 1571

nas also Erfahrungen für seinen eigenen Einsatz als Reformator in Halle. Der Ruf in die Bischofsresidenz, die durch den Konfessionswechsel von der Gewalt Kardinal Albrechts frei zu werden trachtete, stellte den Höhepunkt seines ganzen Lebens dar. Seit dem Verlust dieses Amtes infolge des Schmalkaldischen Krieges ging es beruflich und persönlich mit ihm bergab. Die dem Stellungslosen seit 1547 auferlegte Wanderschaft quer durch Deutschland verzehrte seine Kräfte und ließ ihn vorschnell altern.

In einer Hinsicht konnte Jonas allerdings mit vollem Recht Prioritätsansprüche anmelden: Er gehörte neben Bartholomäus Bernhardi[25] und Andreas Bodenstein von Karlstadt zu den drei ersten namhaften verheirateten Priestern im reformatorischen Lager.[26] Angeregt dazu hatte ihn Karlstadt mit seiner pompösen Heirat einer Fünfzehnjährigen am 20. Jan. 1522.[27] Die Heuchelei der nur mühsam äußerlich gewahrten Keuschheit begann auch ihn anzuwidern.[28] Deshalb verband er sich kurzentschlossen am 9. Februar 1522 mit der jungen Katharina Falk aus Bleddin bei Wittenberg.

Als der Mönch Luther am 6. März von der Wartburg ins Graue Kloster zurückkehrte, um in den berühmten Invocavitpredigten die nach seiner Meinung zu weit getriebene Kirchenreform zurückzurufen, fand er in seiner unmittelbaren Umgebung drei verehelichte Geistliche vor, zu deren Entscheidung er maßgeblich beigetragen hatte. Nach immer noch geltendem geistlichem und weltlichem Recht handelte es sich in allen drei Fällen um einen höchst strafwürdigen Akt, der eigentlich nur wegen des Stillhaltens des sächsischen Kurfürsten folgenlos blieb.[29] Doch als dieser das auf dem Nürnberger Reichstag verabschiedete kaiserliche Mandat vom 6. März 1523 erhielt, nach welchem u. a. verheiratete Priester ihren Unterhalt verlieren sollten,[30] hielt der unbeweibte Kurfürst mit beißender Kritik an Karlstadt und Jonas, die nach seiner Meinung als Ehemänner keine Pfründen mehr haben durften, nicht zurück.[31] Dennoch geschah niemandem etwas. Im Gegenteil: die literarische Diskussion für und gegen den Priesterzölibat ging in reformationsoffenen Kreisen zu Gunsten der Befürworter der Priesterehe aus.[32] Auch Jonas als Betroffener lieferte einen gewichtigen Beitrag dazu. Er stand bald auf der Bestsellerliste obenan.

Im Jahre 1522 war in Rom eine dickleibige, hauptsächlich aus dem Arsenal des klassischen Antifeminismus, aus Vätersprüchen und Konzilsentscheidungen zusammengestoppelte Schrift gegen die von Luther und seinen Anhängern freigestellte Theologenehe erschienen. Sie stammte aus der Feder des Konstanzer Generalvikars Johannes Fabri.[33] Ihr Fazit lautete nach der viel zitierten Devise des altkirchlichen Zölibatärs Hieronymus: „Die Ehe füllt die Erde, die Jungfräulichkeit den Himmel“.[34] Familie, Wissenschaft und Priesterdienst schließen sich aus. Frauen sind zänkisch, unersättlich im Verlangen nach Kleidern und Schmuck, eifersüchtig und untreu. Geistliche, die das Meßopfer darbringen, können nicht zwei Herren dienen.

Da Luther an einer durch eigenes Erleben überzeugenden Widerlegung von Fabris eheschädigendem Pamphlet lag, überließ er es dem frischvermählten Jonas, sich mit dem nötigen persönlichen Eifer, gestützt auf die Bibel, zu Wort zu melden: „Sieh zu, daß es dir von Herzen komme und du warm seist in der Verteidigung der heiligen Ehe!“[35] So angefeuert, zog Jonas alle ihm zur Verfügung stehenden Register. Er wußte, wovon er redete, wenn er im Anschluß an die Schöpfungsgeschichte die Geschlechterbeziehung so beschreibt: „Wie das Feuer brennen und das Wasser naß machen muß, weil beide so geschaffen sind, so muß der Mann nach der Frau und die Frau nach dem Mann verlangen“.[36] Die Ehe ist folglich für ihn keine sündenfallbedingte Notmaßnahme, sondern eine positive Schöpfungsordnung zur gegenseitigen Unterstützung und zur gesunden Steuerung der Sexualität. Ganz in Luthers Sinne[37] arbeitet er ferner den Segen der Mühsal im Ehealltag als Möglichkeit gerade für einen Geistlichen heraus, sich in Glauben, Geduld, Liebe und Kreuztragen zu üben. Auch hält er es um der Seelsorge willen für unabdingbar, daß ein Pfarrer durch gleiche Lebenserfahrungen mit seinen Gemeindegliedern verbunden ist. Schließlich sieht er traditionsgemäß in der Kinderzeugung sowie im familiären Umgang miteinander den letzten, tiefen Sinn der Ehe. Ganz besonders würdigt er die Pastorenehe: „Erfreut dich deine Frau mit Kindern“, hält er Fabri triumphierend entgegen, „welch’ ein Kirchlein erbaut sie dir dann innerhalb der Wände deines Hauses! Welch eine schöne Gelegenheit, ja Notwendigkeit ist dir gegeben, im Kreis der Familie dich in Lehre und Ermahnung zu üben, um nachher öffentlich desto mehr Nutzen zu schaffen“.[38] Jonas hat die Vorstellung von der Familie als „ecclesiola/kleiner Kirche“ aus der Vätertradition übernommen[39]: die Hausgemeinschaft bietet dem Familienvater durch Ermahnung und Lehre Einübungsmöglichkeiten in die pfarramtliche Praxis. Das entspricht auch ganz Luthers Grundsatz: „Es solt keyner keyn vater werden, er hat dan gelernt, das er seynen kindern kan predigen die gebot gottis und das evangelium“.[40] Darüber hinaus rühmt Jonas die Ehe als Schule der Mitmenschlichkeit. Er verdeutlicht das z. B. an 1. Kor. 7,29. Der paulinische Appell, eine Frau so zu haben, als hätte man sie nicht, ist für ihn nichts anderes als der Rat, liebe- und rücksichtsvoll mit ihr umzugehen und sie nicht egoistisch besitzen oder gebrauchen zu wollen.[41] Bei vorreformatorischen Auslegern diente diese Stelle zur Begründung des Zölibates.

Als Jonas seine Antwort an Fabri schrieb, blickte er auf eine erst gut einjähri-

Justus Jonas, 1543

ge, noch kinderlose Ehepraxis zurück. Doch seine Vision von der familiären Ecclesiola sollte sich erfüllen. Katharina stand ihm 20 Jahre lang als „Gefährtin, Schmuck und Lebenstrost"[42] zur Seite und starb 1542 bei der Geburt des 13. Kindes[43] zusammen mit diesem. Siebenmal hatte sie zuvor selbst an Kindergräbern gestanden.[44] Erst wenige Monate zuvor war ihr 13jähriger Sohn Friedrich in der Saale ertrunken[45]. Es war denkwürdigerweise gerade an jenem Tage, an welchem der Prediger Jonas den reformatorischen Durchbruch in Halle erzielte. Angefangen hatte das Kindersterben während der 1527 in Wittenberg wütenden Pest.[46] Auch jede Geburt war – wie in jener Zeit üblich – immer ein Wagnis für Mutter und Kind. Nicht jede Niederkunft seiner Frau konnte Jonas miterleben. In der langen Abwesenheit während des Augsburger Reichstages sorgte er sich ganz besonders um die wieder einmal Schwangere.[47] Zwar kam sie im April 1530 mit einem fünften Sohn nieder, verlor ihn jedoch schon nach drei Tagen wieder.[48] Der im fernen Augsburg trauernde Vater fand bei der Übersetzung von Luthers Jonakommentar, mit dem er sich neben der Mithilfe bei der Abfassung der Confessio Augustana und der treuen Berichterstattung an Luther auf der Coburg beschäftigte, willkommene Ablenkung.[49] Außerdem trösteten ihn nahe und ferne Freunde. Luther erinnerte ihn an den großen Schatz, den er in seiner auch von ihm hochverehrten Frau besitze, gegen welchen die augenblickliche Leiderfahrung nur gering zu werten sei.[50] Katharina Jonas in Wittenberg hatte indessen mit dem Familienalltag und dem Widerstand gegen den geplanten Abriß des eigenen Wohnhauses zum Zwecke von Erweiterungen der kurfürstlichen Befestigungsanlagen[51] vollauf zu tun.[52] Ihre Lebenstüchtigkeit scheint durch Luthers mehrfache Bezeichnung als „Dictative".[53] belegt zu sein. Gleichwohl war das Frühjahr 1530 für beide Eheleute Jonas eine jener Grenzerfahrungen, in denen sich das Ja zur familiären Kreuzschule bewähren mußte. Katharina stand hingebungsvoll hinter ihrer Aufgabe als Ehefrau und Mutter. Die ihr von Jonas nachgerühmte „Freundlichkeit, Reinheit, Anmut und süße Bescheidenheit"[54] entsprach dem reformatorischen Frauenideal aufs genaueste. Noch die Sterbende entschuldigte sich gleichsam dafür, ihre Rolle nun abgeben zu müssen: „Her doctor, ich brecht euch gern ein frucht. Ich weis, ir habt kinder lieb. Weint nicht, es gefelt dem hern Christo also woll".[55] Nichts hätte Katharina jetzt ferner gelegen als Selbstmitleid oder gar Klage.[56] Luther bestätigte in seinem Kondolenzbrief an Jonas, dem tiefsten unter den bekannten acht im Laufe der Zeit an den Freund gerichteten Trostschreiben,[57] Katharinas vorbildliche Haltung, beklagte aber gleichzeitig den Verlust einer gemeinsamen Lebensgefährtin.[58]

Für den Witwer verdoppelte sich die Trauer durch herzzerreißende Klagen der Kinder über den Tod der Mutter.[59] Außerdem war er den pfarramtlichen Pflichten in Halle und den zusätzlichen häuslichen Lasten auf Dauer nicht gewachsen. Die fünf - bis auf den ältesten Sohn - noch minderjährigen Kinder brauchten eine weibliche Bezugsperson, und ihm selbst wurde das ungewohnte Alleinsein nach 20 Jahren Zweisamkeit auch verdrießlich.[60] Deshalb beschloß er, noch vor Ablauf des Trauerjahres im Juni 1543 eine zweite Ehe einzugehen. Obgleich wegen der im kanonischen Recht als Bigamie mißbilligten Wiederheirat[61] grundsätzlich und speziell wegen des frühen Termins Gerüchte aufkamen,[62] stellten sich Luther und Spalatin schützend hinter Jonas.[63] Daß dieser selbst 1533 als kursächsischer Visitator die Lieblosigkeit von zu rasch wieder heiratenden Witwen kritisiert hatte,[64] lag vermutlich an seinen damals noch eigenen Erfahrungsdefiziten.

Von Jonas zweiter Gattin, einer gebürtigen Hallenserin, ist nur der Vorname Magdalena und das Alter bekannt. Doch Jonas schilderte sie in einem Brief an Veit Dietrich so eindrücklich, daß man allein an diesen Sätzen die Überwindung des humanistischen Antifeminismus durch die Reformation belegen könnte. Jenseits aller Verliebtheit bekannte der nunmehr 50jährige: „Ich habe dem Papst und seinen Gesetzen zuwider zum zweitenmal ein Mädchen von 22 Jahren, eine Philosophin und in der Bibel D. Luthers gelehrte Theologin (denn schon zweimal hat sie die deutsche Bibel Luthers durchgelesen) geheiratet. So haben sie die Eltern erzogen. Solch ein Durst nach dem Evangelium herrschte in Halle unter der Verfolgung des Bischofs, daß Mädchen und Frauen die Reden der Propheten und Gedichte der Psalmen auswendig lernten“.[65] Neben ihrem religiösen Eifer entsprach Magdalena auch in ihrem übrigen Verhalten dem neuen Idealbild einer evangelischen Frau.[66] Außerdem war sie den Kindern aus der ersten Ehe ihres Mannes eine verständnisvolle Stiefmutter und brachte selbst noch drei Kinder zur Welt, das letzte im Mai 1547 in Goslar – nach der Schlacht bei Mühlberg auf der Flucht vor Herzog Moritz.[67] Dorthin war Jonas Hals über Kopf mit der Schwangeren und 7 Kindern auf nächtlichen Schleichwegen mit zwei Bauernwagen geflohen. Danach fand er wie so oft im heimatlichen Nordhausen Zuflucht.[68] Eine der dramatischen Hausgeburten – vielleicht war es diese – bewog Jonas dazu, die Treue Gottes im Anschluß an zwei Psalmverse mit einem vierstrophigen Lied so zu besingen[69]: „Von Mutter leib bistu mein Gott;/ geborn ward ich in grosser not,/ Da filh ich bald dir in den Schoß,/ als man das erste Badt mir goß./ Du warest, Herr, mein höchster trost,/ do ich erst Milch der Mutter kost“.[70]

Da Jonas sich während des Schmalkaldischen Krieges durch schonungslose Polemik[71] gegen den Kaiser wie gegen dessen Verbündeten, Moritz von Sachsen, vor beiden unmöglich gemacht hatte, wagte es der Hallenser Stadtrat aus Furcht vor dem albertinischen Kurfürsten als neuem Burggrafen nicht, den Geflohenen an die Marienkirche zurückzurufen.

Glücklicherweise bot sich seit dem Sommer 1547 eine überbrückende Pfarramtstätigkeit im unwirtlichen Hildesheim an. Diese Zeit wurde jedoch für alle Familienmitglieder zu einer schweren Herausforderung. Ohne die Proviantlieferungen von Antonius Corvin aus Münden sowie von Nikolaus Medler aus Braunschweig wäre an ein Überleben der mehr als zehnköpfigen Familie nicht zu denken gewesen. Denn der Flüchtling bezog als Vertreter des nicht mehr voll amtsfähigen Pfründeninhabers Isermann lediglich ein Taschengeld.[72] Die Wittenberger Propsteieinnahmen fielen nach dem Übergang Witteübergs an die Albertiner ebenfalls weg.[73] Nach zähen, insbesondere von Melanchthon geführten Verhandlungen gelang es im Frühjahr 1548 endlich, Kurfürst Moritz einen Geleitbrief für Jonas abzuringen. So kehrte dieser mit

Sack und Pack nach Halle zurück – jedoch ohne Predigterlaubnis und vor allem ohne Gehaltszusagen. Auf die Hildesheimer Zeit zurückblickend, schrieb er:" Ich habe in meinem Exil zusammen mit meiner Frau und den 7 Kindern den Tod und das Kreuz Christi getragen, damit auch sein Leben und sein Trost in uns offenbar würde".[74] In diesem Zusammenhang taucht wieder das Bild von der Familie als kleiner Kirche auf. Aber jetzt ist es die angefochtene/ afflicta ecclesiola.[75] Jonas entwickelte sich unter dieser Erfahrung nicht zum Lamentierer. Wie die Kirche geprüft werden muß, um sich zu bewähren, so erfährt sowohl der einzelne als auch die Familie den aufrichtenden Gott vornehmlich da, wo eigenes Bemühen nicht weiterhilft. Hiermit trägt die reformatorische Theologie etwas Eigenes zum Bild der Familie als kleiner Kirche bei: Das Ehekreuz. Dieses ist entgegen der altkirchlichen und mittelalterlichen Auffassung aber gerade nicht Ausdruck von göttlichem Zorn und deshalb möglichst durch Ehelosigkeit zu umgehen, sondern vielmehr Chance und Auszeichnung, um gemeinsam im Glauben zu wachsen und dem tröstenden Gott zu begegnen.

Außer den Schlägen, welche die ganze Familie trafen, stieß Jonas selbst in körperlicher und psychischer Hinsicht permanent an seine Grenzen. Schon in seinen besten Jahren bezeichnete er sich wegen seiner labilen Gesundheit als einen Sterbenden und bezog das paulinische Bild vom Schatz in irdenen Gefäßen (2. Kor. 4,7) auf die seinen Dienst oft lähmenden Fieberschübe, Steinschmerzen, Schwindel- und Gichtanfälle. Hinzu kamen massive Selbstzweifel und Depressionen.[76]

Jonas stand mit solchen Erfahrungen nicht allein. Kein geringerer als sein väterlicher Freund Luther teilte sie. Diese Erfahrungen waren es wohl vor allem, die beide Männer in einer einzigartigen Vertrautheit verbanden. Niemand konnte den oft verzweifelten Luther so aufrichten wie Jonas. Deshalb lud Katharina von Bora ihn während der gemeinsamen Wittenberger Zeit mehrfach heimlich zum Essen ein.[77] Daraus erklärt sich Jonas' häufiges Vorkommen in den im gastlichen Augustinerkloster aufgezeichneten Tischgesprächen. Das gemeinsame Speisen hatte eine therapeutische Funktion. Der selbst Trostbedürftige erwies sich als der hilfreichste Seelsorger. Am ergreifendsten kommt das in dem Bericht zum Ausdruck, den Jonas nach einem der größten Tiefpunkte in Luthers Leben – Anfang Juli 1527 – niederschrieb.[78] Der aus Todesängsten und Gewissensqualen Befreite bekannte dem durch seine stille Gegenwart hilfreichen Freund am folgenden Tage: „Ich mus den tag mercken, ich bin gestern zur schule gewest". Jonas begriff kommentarlos. Auch er verstand seinen Weg als eine Lebens-„Schule", und zwar mit steigenden Anforderungen. Denn Kreuz und Anfechtung – das war reformatorische Überzeugung – galten als unumgänglich für eine christliche Existenz überhaupt.

So gab Jonas es am Ende denn auch der göttlichen Heilsökonomie anheim, daß es in beruflicher Hinsicht nicht zur Wiederherstellung der Vorkriegsverhältnisse kam. Von 1548 bis 1551 lebte er zwar inmitten seiner Gemeinde in Halle, durfte aber nicht ihr Pfarrer sein. Außer einer wöchentlichen lateinischen Lektion war er zur Untätigkeit verurteilt. Hinzu kam die täglich wachsende Bedrohung durch den wieder in der Moritzburg residierenden Erzbischof Johann Albrecht wie durch das kaiserliche Interim. Am schlimmsten muß die erzwungene Schweigepflicht gewesen sein. Zu allem Unglück starb gerade während dieser Existenzunsicherheit seine zweite Frau Magdalena nach knapp 7 Ehejahren völlig unerwartet Anfang Juli 1549.[79] Schwereres konnte den stellungslosen Superintendenten nicht treffen. Seit über einem Jahr ohne feste Einkünfte, blieb ihm nun nichts anderes übrig, als sich im Schreiben von Bettelbriefen an fürstliche Gönner zu üben.[80] Er nahm auch jede nur mögliche Gelegenheit wahr, seine Kinder, insbesondere die Söhne, ihren vermögenden Paten anzuempfehlen.[81]

Trotz großzügiger Hilfe von außerhalb war der nunmehr 57jährige ohne eine Frau an seiner Seite lebensunfähig. Darum verband er sich vor allem wegen der noch kleinen Kinder als „ergrauter Greis“ ein drittes Mal im Mai 1550 mit der Naumburgerin Margarethe Farnroeder.[82] Sie begleitete den in der Bischofsstadt beruflich nicht wieder Fuß Fassenden auf seinen drei letzten Stationen: nach Coburg, Regensburg und Eisfeld.
Nach Aussage Melanchthons war Jonas schon 1551 bei seinem Weggang aus Halle nur noch fähig zu beten, nicht jedoch, den vollen Pfarrdienst zu versehen.[83] Keiner wußte das besser als der Betroffene selbst. Vor allem war ihm klar, daß er vielleicht schon bald eine junge, unversorgte Witwe würde zurücklassen müssen. Deshalb appellierte er bis in seine letzten Lebenstage hinein an Kurfürst August, die ihm beim Verzicht auf seine Wittenberger Stiftspfründe vom derzeitigen Kurfürsten Johann Friedrich zugesagte lebenslange Pension von jährlich 100 Gulden samt den Rückständen seit 1547 fortzuzahlen. Vergeblich,[84] der neue Kurfürst August lehnte Einkommen ohne Arbeit rundweg ab.[85]

Die Sicherung der äußeren Existenz spielt in Jonas Biographie und Wesen eine auffällige Rolle. Man wird den Grund dafür nicht nur in der Verantwortung für die wachsende Familie zu sehen haben. Schon der noch unvermählte

Wittenberger Professor gestand nur ungern demjenigen, der seine kirchenrechtliche Lehrverpflichtung übernahm, einen kleinen Betrag seines Stiftspfründeneinkommens zu.[86] Der Jungvermählte prozessierte jahrelang um das Erbe seines Mühlhäuser Halbbruders.[87] Der nach Halle Wechselnde meldete Pensionsansprüche an, die von Zeitgenossen als „vnuerschembt" getadelt wurden.[88] Und selbst Luther soll dem offenbar mit Bergwerksaktien Spekulierenden einmal seelsorgerlich die Leviten gelesen haben.[89] Während dieser ganz vorbehaltlos und kindlich an die göttliche Fürsorge glaubte und zu frühem, bedenkenlosem Heiraten so ermunterte: „Gott macht kinder, der wirt

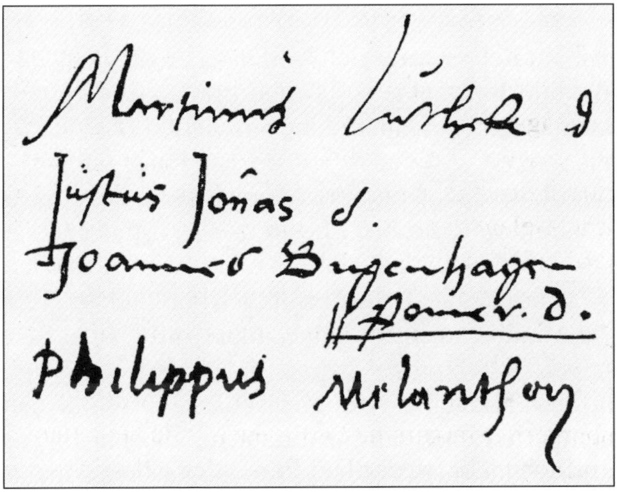

Unterschriften von Luther, Jonas, Bugenhagen (Dr. Pomeranus), Melanchthon

sie auch wol erneeren",[90] verzehrte sich Jonas in Sorge und Vorsorge. Er war sicher kein kleingläubiger Skeptiker. Aber er vertrat die Meinung, daß erst alles Menschenmögliche getan werden müsse, bevor Gott um Hilfe angerufen werden dürfe. Nichts anderes blieb ihm am eigenen Lebensende übrig. Als der am „morbus melancholicus"[91] nicht weniger als an Altersschwäche Leidende am 9. Okt. 1555 in den Armen seiner dritten Frau starb, konnte er diese zusammen mit den 6 noch minderjährigen Kindern nur der göttlichen Fürsorge anempfehlen. Erst die baldige Wiederverheiratung der Witwe mit dem Naumburger Jakob Polrose enthob alle der ärgsten Existenznot.[92]

Von den insgesamt 16 Kindern überlebten nur sieben den Vater,[93] und nur einem gelang es, als traurige Berühmtheit in die Geschichte einzugehen. Justus

Jonas d. J., 1525 geboren, Spielgefährte der Kinder Luthers und Melanchthons, fiel schon früh durch eine überdurchschnittliche Begabung auf und versprach, ein glänzender Jurist zu werden. Leider wurde ihm folgende, von Luther als Äußerung bei Tisch überlieferte Lebensmaxime zum Verhängnis: „Wer...in 50 jaren nit reich wirt, der ist ein desperat".[94] Vermutlich um solcher Ziele willen geriet er in das Dickicht der sog. Grumbachschen Händel,[95] entwich vor dem Zorn Kurfürst Augusts nach Dänemark, wurde aber trotzdem auf sächsischen Druck hin 1567 in Kopenhagen öffentlich hingerichtet.[96] Glücklicherweise blieben dem alten Vater dieser Schmerz und diese Schande erspart. Doch auch schon vorher hatte der arrogante, karrierebewußte und pietätlose junge Mann des Vaters letzte Lebensjahre verdunkelt.[97]

Ob unter all den am Lebensende sich häufenden bedrückenden persönlichen Erfahrungen der alte Jonas eine so hochgestimmte Apologie der Pfarrerehe hätte schreiben können, wie sie dem Jungvermählten 1523 aus der Feder floß, mag bezweifelt werden. An einem jedoch hat Jonas unbeirrt festgehalten: „Gott erzieht und leitet Mann und Frau durch das tägliche Kreuz zum Glauben und zur Liebe", weshalb die Ehe trotz aller Mühen der heiligste und geistlichste aller möglichen Stände für ihn blieb.[98] Über den einst vergötterten Junggesellen Erasmus dachte Jonas vermutlich wie Luther: „Erasmus ist kein Hausvater gewest und ist in einem Stande ohn Gott".[99]

Sucht man bei Jonas nach einer Art Lebensbilanz, so könnte man eine solche vielleicht seinem Urteil über den für ihn unerreichbaren Luther entnehmen. Vor Nordhäuser Freunden sagte Jonas einmal von dem für ihn viel zu früh heimgegangenen väterlichen Freund: „...das war viel ein andrer Mann, iste vir potuit quod voluit/ dieser Mann konnte, was er wollte".[100] Demgegenüber erlebte Jonas sich in der Spannung zwischen Wollen und Können persönlich und beruflich je länger je mehr als Verlierer. Luther war in seiner rückblickenden Phantasie zu einem übermenschlichen Athleten herangewachsen. Hatte er schon bei seinen Lebzeiten trotz aller Vertrautheit stets scheuen Abstand zu dem Älteren und in jeder Weise über ihm Stehenden gewahrt, so billigte er dem Toten nun uneingeschränkte Überlegenheit zu. Nie hätte er gewagt, Luther in Briefen etwa „mi Martine" anzureden, während ihn die häufige Bezeichnung „mi Jona" als Luthers „amicus summus/engster Freund"[101] in höchstem Maße auszeichnete. Anders als Melanchthon, der am Temperament und an der oft zügellosen „Streitsucht" Luthers wie unter einer „Knechtschaft" litt,[102] ordnete Jonas sich ihm offenbar mühelos unter. Gerade das trug und ehrte ihn. Die Freundschaft zwischen Jonas und Luther, so unterschiedlich sie als Menschen und Theologen auch immer gewesen sein mögen, war für beide – solange sie einander hatten – eine fortwährende Kraftquelle und ein Ort gegenseitigen Austausches und Trostes.[103]

Die freundschaftliche Verbundenheit zwischen Luther und Jonas hat jüngst eine ganz unerwartete und wohl auch unbeabsichtigte Bezeugung auf hymnologischem Gebiet gefunden, Das neue Ev. Gesangbuch bietet unter der Nummer 297 eine Verquickung der Versifizierungen von Psalm 124 durch Jonas und Luther zu dem nunmehr 6strophigen Lied „Wo Gott der Herr nicht bei uns hält“.[104] Die von Jonas stammende 5. Str. kann als Summe des Evangeliums bezeichnet werden, für das beide, Luther und Jonas, in freundschaftlichem Gleichklang und mit ihrer ganzen Existenz einstanden:
„Ach Herr Gott, wie reich tröstest du,/die gänzlich sind verlassen./Der Gnaden Tür steht nimmer zu,/Vernunft kann das nicht fassen,/sie spricht: „Es ist nun alls verlorn“,/da doch das Kreuz hat neu geborn,/die deiner Hilfe warten“.

Anmerkungen

1 Vgl. vor allem Erasmus v. Rotterdam in seinem Brief an Johann von Heemstede von Nov. 1527 über den Tod von Johannes Froben, dt. Übersetzung abgedr. in: Erasmus v. Rotterdam, Briefe, hg. v. Walther Köhler, Wiesbaden 1947, 412–417; ferner Richard van Dülmen, Kultur und Alltag in der Frühen Neuzeit, Bd. 1, München 1990, 172. Heinz-Horst Schrey im TRE-Artikel „Freundschaft“ (11, 590–599) übergeht unerklärlicherweise die Zeit des Humanismus und der Reformation! Ebenso vergeblich sucht man das Thema „Freundschaft“ bis heute in den evangelischen Ethiken! Vgl. immerhin die neuesten Bemühungen um das Thema „Freundschaft“ in theologischem Horizont: Theologie und Freundschaft. Wechselwirkungen: Eberhard Bethge und Dietrich Bonhoeffer, hg. v. Christian Gremmels u. Wolfgang Huber, Gütersloh 1994; Il concetto di amicizia nella storia della cultura europea/ Der Begriff Freundschaft in der Geschichte der Europäischen Kultur, Akademia di studi italo-tedeschi-Merano..., Meran 1994.

2 Einen ersten Versuch stellt die Arbeit von Hans-Günter Leder dar, Luthers Beziehungen zu seinen Wittenberger Freunden, in: Leben und Werk Martin Luthers von 1526 bis 1546. Festgabe zu seinem 500. Geburtstag, Göttingen 1983, 433–436, und Hans-Peter Hasse, Luther und seine Wittenberger Freunde. Zum Erscheinungsbild einer Gruppe in der Kunst und Publizistik des 16. Jahrhunderts, in: Wartburg-Jahrbuch 1996. Sonderband, Eisenach 1996, 84–119; bes. 106–111.

3 Luther an Joh. Sylvius Egranus v. 24. März 1518 (WABr 1, 158).

4 WATi 3, 481, 5-7.

5 Luther an Spalatin vom 30. Jan. 1544 (WABr 10, 523)

6 WA 42, 501.

7 Die Einstufung als „Vater der lutherischen Orthodoxie“ , wie Walter Delius, Justus Jonas, Berlin 1952, 100, sie vornimmt, scheint mir indessen überzogen zu sein, obgleich Jonas’ Eintreten für die lutherische Abendmahlslehre, gegen Osiander und gegen das Interim durchaus dafür reklamiert werden könnten.

8 Zu Jonas’ Leben vgl. Hans-Günter Leder in: TRE 17, 234-238.

[9] Jonas an Melchior v. Aachen v. 24. Juni 1519; abgedr. bei G. Kawerau I, 24, Nr. 25.
[10] Jonas an Melanchthon v. 17. März 1546 (CR 6, 86).
[11] Vgl. die freudige Reaktion darauf durch Luther am 19. Okt. 1527 (WAB 4, 269)
[12] In allen 9 erhaltenen Briefen von Jonas an Luther nennt er ihn „Vater", während Luther ihn in den auf uns gekommenen 106 Briefen sehr viel vertrauter meist mit „mi Jona" anredet.
[13] Vgl. Abbildung und Beschreibung des nach 1573 gemalten Epitaphs bei H. Junghans, Wittenberg als Lutherstadt, Göttingen 1979, 145f. , Abb. 66.
[14] Acta et res gestae D. Martini Lutheri, 1521 (WA 7, 825–887). Der Text stammt von einem Unbekannten (oder vielleicht von Spalatin?); über Jonas' Engagement bei der sofortigen Veröffentlichung von Luthers Wormser Äußerungen vgl. Kawerau I, 53, Nr. 49.
[15] Jonas an Veit Dietrich v. 9. März 1546 (Kawerau II, 185f., Nr. 789).
[16] Vgl. Chr. Schubart, Die Berichte über Luthers Tod und Begräbnis, Weimar 1917, 59ff.
[17] Ebd., 64.
[18] Jonas an Kurfürst Johann Friedrich v. 18. Febr. 1546 (Kawerau II, 179, Nr. 781).
[19] Vgl. Jonas an Melanchthon v. 17. März 1546 (CR 6, 86).
[20] Schubart, Berichte, 68.
[21] Nach der Briefedition von Kawerau haben sich allein 108 Briefe Melanchthons an Jonas erhalten.
[22] Vgl. H. Volz, Martin Luthers deutsche Bibel, Hamburg 1978, 84 u.ö.
[23] Vgl. G. Kawerau II, XXIII–XXXI. Eine vollständige Zusammenstellung der Übersetzungen sowie eine Würdigung des Jonas als sprachgewandter Übersetzer und Tradent von zentralen Schriften beider Hauptreformatoren steht noch aus.
[24] Vgl. Luther an Jonas vom 19. Apr. 1529 (WAB 5, 55).
[25] Über ihn vgl. 1487–1551; über ihn vgl. ADB 2, 459f.
[26] Im Vorwort zur Übersetzung von Melanchthons „Defensio Coniugii Sacerdotum" Straßburg 1540 (Ausg. Wittenberg 1549 = CR 23, 673–692) schrieb Jonas i. J. 1541 rückblickend: „Gott lob, das ab anno domini XXI sider dem herrn Batholomeo Bernard, probst zu Kemberg, viel tausent priester vnd mönchen sind ehelich worden, da ich nach demselbigen herrn probst der ander oder jr drit ehelich priester ward in gantzer deudsch nation, das ich Gott danck vnd vor ein gros ehre achte"(abgedr. nach der Ausg. Halle 1543 bei G. Kawerau II, 109, Nr. 692.
[27] Jonas an Wolfgang Capito v. 1. Jan. 1522 (abgedr. bei Kawerau I, 81, Nr. 73); und Jonas an Joh. Lang v. 8. Jan. 1522 (abgedr. bei Kawerau, ebd., 83, Nr. 74). Daß Jonas 1541 bei der Erwähnung der drei ersten verheirateten Priester Karlstadt nicht namentlich erwähnt, hängt wohl mit dessen Option für die radikale Reformation zusammen.
[28] Vgl. die verschlüsselten Andeutungen in den beiden vorgenannten Briefen.
[29] Schon Bernhardi sollte 1521 an den Erzbischof von Mainz ausgeliefert werden. Friedrich der Weise kam dieser Aufforderung jedoch nicht nach.
[30] Abgedr. in: RTA, J.R. 3, 1901/1963, 448–452. Vgl. auch Luthers Kommentar dazu WA 12, 62–67.
[31] Friedrich d. Weise an Hieronymus Schurff v. 7. August 1523 (CR 1,620, Nr. 249).
[32] Vgl. August Franzen, Zölibat und Priesterehe in der Auseinandersetzung der Reformationszeit und der katholischen Reform des 16. Jahrhunderts, KLK 29, Münster 1969. Vgl. Stephen E. Buckwalter, Die Priesterehe in Flugschriften der frühen Reformationszeit, QFRG 68, Gütersloh 1998.
[33] Johannis Fabri Constantiensis in spiritualibus vicarii opus adversus nova quaedam et a Christiana religione prorsus aliena dogmata Martini Lutheri, Rom 1522; Leipzig 1523, Köln 1524 als Malleus in haeresim Lutheranam (neu hrsg. v. Anton Naegele, Corp. cath 23/24, Münster 1941).
[34] Hieronymus, Adversus Jovianum I,16 (MPL 23, 235).
[35] WA 12, 85. Begleitbrief Luthers zu Jonas' Schrift „Adversus Johannem Fabrum"; s. nächste Anm.

[36] Justus Jonas, Adversus Johannem Fabrum, Constantien. Vicarium, scortationis patronum, pro coniugio sacerdotali, Wittenberg 1523, Bl. Cr.
[37] Vgl. WA 10/II, 295f.
[38] Adversus Fabrum, Bl. E[4r]:"...quam Ecclesiolam tum inter domesticos parietes tibi plantabit".
[39] Soweit ich sehe, haben die altkirchlichen Theologen sowohl die klösterliche Gemeinschaft als auch die häusliche Familie mit „ecclesiola" bezeichnet. Zum ersten vgl. z. B. Basilius, Regula (MPG 31, 928ff.); Hieronymus, Epist. 30,14 (CSEL 54, 248 von der Hausgemeinde der Paula); zum zweiten vgl. Johannes Chrysostomos, Hom. 20,6 in Ephes. (MPG 62, 143; vgl. auch MPG 54, 607). Diesen Hinweis verdanke ich Herrn PD Dr. Reichert, Hamburg. Sowohl die altkirchliche Vorstellung als auch ihr Fortleben des Bildes von der Familie als ecclesiola im Luthertum bedürfte einmal einer genaueren Untersuchung. Jonas könnte die altkichlichen Gedanken von Luther vermittelt bekommen haben; vgl. die Widmungsvorrede an Jonas zur Rationis Latomianae Confutatio v. 1521, wo von der Stiftsgemeinschaft als von Gottes ecclesiola die Rede ist (WA 8, 45, 14). In Luthers Genesisvorlesung 1535–45 begegnet „ecclesiola" dann mehrmals auffällig als Bezeichnung für die häusliche Familie (WA 42, 241,13; 43, 67,28; 44, 419,39).
[40] Luther, Sermon von dem ehelichen Stand, 1519 (WA 9, 217, 37). Sowohl Luther (WA 10 II, 301,16ff.) als auch Melanchthon (CR 23, 686) billigen selbst der Hausmutter Lehrbefugnis innerhalb der Hauskirche zu.
[41] Ebd., Bogen C–E. Jonas hat sich 1536 sogar mit dem Gedanken getragen, die Schrift gegen Fabri in überarbeiteter Form erneut auflegen zu lassen (vgl. Kawerau I, 242, Nr. 312).
[42] Jonas an Melanchthon vom 3. Januar 1543 (Kawerau II, 91, Nr. 672).
[43] Im Brief an Fürst Georg von Anhalt vom 16. Dezember 1541 nannte Jonas seinen am 6. Dez. geborenen und bald nach der Nottaufe gestorbenen Sohn Paul sein 12. Kind (abgedr. bei Kawerau II, 57, Nr. 619). Die Angaben über die Kinder des Justus Jonas schwanken in der Literatur. Zur Genealogie vgl. Seidemann, Ein eigenhändiger, ungedruckter Brief des Dr. Justus Jonas, in: Sächs. Kirchen- und Schulblatt 1866, 145, Anm. *.
[44] Nach Martin Schellbach, Justus Jonas, Essen 1941, 40.
[45] Mitgeteilt bei Schellbach, ebd., 40.
[46] Vgl. Melanchthon an Jonas vom 28. August 1527 (CR 1, 886–888).
[47] Vgl. Luther an Katharina Jonas vom 23. 4. 1530 (WAB 5, 284).
[48] Jonas an Luther auf der Wartburg vom 4. Mai und vom 12. Juni 1530 (Kawerau I, 148f., Nr. 174).
[49] Vgl. Luthers wahrscheinlich aus dem Monat Juni 1530 stammender, der Übersetzung vorangedruckter Trostbrief an Jonas (Kawerau I, 436 = WA 19, 176–178); Jonas Kommentarübersetzung trug den Titel Enarrationes Novae D. M. Lutheri in Jonam prophetam, Hagenau 1530 (vgl. auch WA 19, 175).
[50] Luther an Jonas vom 19. Mai 1530 (WAB 5, 323f.)
[51] Vgl. ARG 25, 1928, 45–50, bes. 48.
[52] Vgl. Luthers Brief an sie vom 23. Apr.1530 (WAB 5, 284).
[53] Vgl. z.B. Luther an Jonas vom 19. 10. 1527 (WAB 4,269); vom 29. 12. 1527 (WAB 4, 307).
[54] Jonas an Melanchthon v. 3. Jan. 1543 (Kawerau II, 91, Nr. 672). Vgl. zum Ganzen Klaus Suppan, Die Ehelehre Martin Luthers, Salzburg/München 1971.
[55] Kawerau II, 91, Nr. 672.
[56] Das reformatorische Mutterschaftsideal hatte sich den evangelischen Ehefrauen so tief eingeprägt (vgl. Luthers Predigt vom Ehestand, 1525, wo die Vorrangigkeit der Geburt eines Kindes vor dem Sterben der Mutter hervorgehoben wird; WA 17 I, 25f.), so daß etwa die Bitte zu Gott um Befreiung von den irrsinnigen Geburtsschmerzen, wie sie bei Katholikinnen vereinzelt durchaus begegnet, im Munde einer Protestantin für lange Zeit undenkbar war. Die Katholikin Maria Elisabeth Stampferin schrieb z. B. in ihrem 1679 begonnenen „Gedenkbüchl" nach einer schweren 16. Geburt: „Gott der Allmächtige nehme nur ein-

mal dieses große Kreuz von mir!" (mitgeteilt bei Heide Wunder, Konfession und Frauenfrömmigkeit im 16. und 17. Jh., in: Theologie zwischen Zeiten und Kontinenten. Für Elisabeth Gössmann, hg. v. Th. Schneider u. Helen Schüngel-Straumann, Freiburg, Basel, Wien 1993).

57 Vgl. Ute Mennecke-Haustein, Luthers Trostbriefe, QFRG 56, Gütersloh 1988, 127–130.

58 Luther an Jonas vom 26. 12. 1542 (WAB 10, 227): „Suavissimam vitae sociam nos omnes amisimus".

59 Vgl. den in Anm. 42 genannten Brief.

60 Luther akzeptierte diese natürlichen Bedürfnisse seines Freundes in einem Brief v. 26. Jan. 1543 (WAB 10, 252, Nr. 3843). Hans Sachs „Klage des Witwers" (1560) dürfte Jonas aus dem Herzen gesprochen sein; abgedr. bei Andrea van Dülmen [Hg.], Frauen. Ein hist. Lesebuch, München 3 1990. 216.

61 Vgl. Decretum Gratiani II, C 31, q 1, c.7, (ed. Friedberg I, 1110). Zum ganzen vgl. Joseph Freisen, Geschichte des kanonischen Eherechts bis zum Verfall der Glossenliteratur, Paderborn 1893; Nachdruck Aalen 1963, 656-676; James A. Brundage, Law, Sex, and Christian Society in Medieval Europe, Chicago 1987, 539. Bereits im 2. Jh. bezeichnete Tertullian die Wiederheirat gemäß Mt. 5,28 als Ehebruch und empfahl Witwen wie Witwern die Jungfräulichkeit (De exhortatione castitatis ; CSEL 70, 141). Luther hatte sich schon 1523 in der Auslegung von 1. Kor. 7 zur Frage der Wiederheirat geäußert (WA 12, 113f.). Martin Bucer z. B. hielt dem Vorwurf der Bigamie bei seiner zweiten Eheschließung Anfang März 1542 Hes. 44,22 entgegen (QFRG 19, 1934, 784).

62 Vgl. WAB 10, 333 (Nr. 3886).

63 Vgl. WAB 10, 304–306 (Nr. 3872), und Kawerau II, 106f.

64 Abgedr. bei K. Pallas, Noch ein bisher unveröffentlichter Brief des Justus Jonas, in: ZVKGS 7, 1910, 165.

65 Jonas an Veit Dietrich vom 18. Juli 1543 (Kawerau II, 108, Nr. 691).

66 Vgl. Jonas Schilderung einer verwandten Pfarrfrau (Freder) den Fürsten Georg und Joachim v. Anhalt gegenüber v. 17. August 1540 (Kawerau I, 404, Nr. 509).

67 Jonas an Georg v. Anhalt v. 30. Mai 1547 (Kawerau II, 229, Nr. 843).

68 Vgl. den Bericht des Jonas in einem Brief an Herzog Albrecht von Preußen vom Mai 1549 (Kawerau II, 279–283, Nr. 901).

69 Ps. 22,10f.; 71,6.

70 Abgedr. ohne Datierung bei Ph. Wackernagel, Das deutsche Kirchenlied von der ältesten Zeit bis zu Anfang des XVI. Jahrhunderts, Bd. 3, Leipzig 1870, 45, Nr. 65.

71 Vgl. das dem Trostbrief an Kurfürst Johann Friedrich (Kawerau II, 209-211) beigelegte Siegeslied über Ps. 20 vom 27. Okt. 1546 (Philipp Wackernagel, Das dt. Kirchenlied, Bd. 3, 42f., Nr. 63).

72 So mitgeteilt bei Th. Pressel, Justus Jonas, 96.

73 Hinzu kam, daß der älteste, nach dem Vater benannte Sohn Justus ein Pariser Gymnasium besuchte (vgl. Kawerau II, 239, Nr. 854) und eine bereits heiratsfähige Tochter ausgesteuert werden mußte (Kawerau II, 233, Nr. 848).

74 Kawerau II, 255, Nr. 874.

75 Kawerau II, 239, Nr. 854.

76 Vgl. Jonas an Friedrich Myconius, vom 1. Dez. 1540 (Kawerau I, 406, Nr. 517).

77 Vgl. Hieronymus Weller an die Ratsherren von Halle vom 18. April 1567 (Kawerau II, 343, Nr. 940).

78 Jonas' Aufzeichnung über Luthers Erkrankung und Anfechtung vom 7. Juli 1527, abgedr. bei Kawerau I, 104–107, Nr. 103.

79 Mitgeteilt in einem Brief an den Gönner Christian III. v. Dänemark; abgedr. bei Kawerau II, 293, Nr. 908.

80 Vgl. z. B. den soeben gen. Brief an Herzog Albrecht, die Briefe an König Christian v. Dä-

nemark und vor allem diejenigen an die ernestinischen Fürsten, abgedr. bei Schellbach im Anhang.

81 Kawerau I, 315, Nr. 417; 381, Nr. 478.

82 Vgl. die Mitteilung des Jonas an Abt Friedrich von Aegidien in Coburg vom 21. Okt. 1551 (Kawerau II, 309, Nr. 922).

83 Vgl. Melanchthon an L. Moller in Hildesheim vom 21. März 1551 (CR 7, 755).

84 Vgl. den ausführlichen Bericht von Jonas über die Zusammenhänge an die Fürsten Johann Friedrich d. Mittleren, Johann Wilhelm und Johann Friedrich d. J. vom 3. Aug. 1555, u. d. Antwort Kurfürst Augusts an die Ernestiner vom 1. Sept. 1555 (Kawerau II, 331–337, Nr. 935–937).

85 Kurfürst August an Herzog Georg von Anhalt vom 1. Sept. 1555; abgedr. bei Seidemann, Ein eigenhändiger, ungedruckter Brief des Dr. Justus Jonas, in: Sächs. Kirchen- u. Schulblatt 1866, 150.

86 Vgl. Kawerau I, 62–74.

87 Vgl. Jordan, Die Familienbeziehungen des Propstes Justus Jonas zur Stadt Mühlhausen (Thür.), in: ZVKGS 7, 1910, 157ff.

88 So das Urteil des Kanzlers Gregor Brück (Kawerau II, 122, Nr. 715).

89 WATi 4, Nr. 3992.

90 M. Luther, Vom ehelichen Leben, 1522 (WA 10, II, 304).

91 Mitgeteilt bei Kawerau II, 342, Anm. 1.

92 Mitgeteilt bei Kawerau II, 309, Anm. 2.

93 1552 spricht Jonas selbst vor seiner Übersiedlung von Coburg nach Regensburg von 6 Kindern. Vermutlich ist der nicht mehr dem Hausstand angehörende Sohn Justus hinzuzuzählen (Jonas an Hiltner v. 29. Aug. 1552, abgedr. bei Delius, J. Jonas, 174).

94 WATi 4, Nr. 4810.

95 Vgl. H. Junghans [Hg.], Das Jahrhundert der Reformation in Sachsen, Berlin 1989, 202.

96 Am ausführlichsten über ihn ADB 14, 494–497.

97 Fast schien es, als bewahrheite sich dabei das, was Melanchthon ihm schon beim Tode seines ersten Sohnes 1527 zum Trost geschrieben hatte, daß so mancher vortreffliche Vater mißratene Söhne habe, die besser nicht geboren wären (Mel. an Jonas vom 28. Aug. 1527; CR 1, 887).

98 J. Jonas, Adversus Johannem Fabrum, Bl. E [3r]: „Coniuges DEVS quotidiana cruce ad fidem & charitatem erudit et exercet".

99 WATi 4, Nr. 3963.

100 Mitgeteilt bei C. Spangenberg, zit. bei Kawerau II, Einleitung, XLIX.

101 So Luther an Jonas vom 21. 6. 1520 (WAB 2, 127).

102 Vgl. Philipp Melanchthon an Christoph von Carlowitz vom 28. April 1548 (CR 6, 879–885). Vgl. dazu im einzelnen Heinz Scheible, Melanchthons Brief an Carlowitz, in: ARG 57, 1966, 102–130, bes. 116f.

103 So Luther über Mt. 18, 20 in den Schmalkaldischen Artikeln (BSLK, S. 449).

104 EKG 192 „Wär Gott nicht bei uns diese Zeit" und EKG 193 „Wo Gott der Herr nicht bei uns hält" bot beide metrisch identischen Lieder noch getrennt. EG 297 fügt demgegenüber aus Jonas' Lied Str. 1.2.5.6 und aus Luthers Lied Str. 3 u. 4 zusammen. Obgleich noch immer nicht klar ist, weshalb Luther, kurz nachdem Jonas ihm Anfang 1524 sein „poema" geschickt hatte (vgl. Luther an Spalatin v. 14. 1. 1524; WAB 3, 234), gleich ein eigenes Psalmlied schrieb, offenbart doch die an sich fragwürdige Zusammenlegung von Liedern unterschiedlicher Autoren in unserem Zusammenhang eine tiefe Wahrheit. Zu beiden Liedern vgl. Nikolaus Müller, Die frühen Wittenberger Psalmlieder im EKG, in: JLH 1982, 103-117

„du rühmst immer deinen Mönch zu Wittenberg“[1]

Lucas Cranach – Maler der Reformation

Hans Georg Thümmel

Lucas Cranach sollte bekannt sein. Die Jubiläen des berühmten Künstlers sind überall gefeiert worden, so 1953 und besonders der 500. Geburtstag 1972. Seine Person ist im Rahmen des Luther-Jubiläums 1983 in Ost und West gewürdigt worden und weiteres ist dem gefolgt. Und doch: Stellt man bestimmte Fragen, fallen die Antworten dürftig aus, zumindest wenn man die Literatur der letzten Jahrzehnte befragt. Wie war das nun mit dem Verhältnis zu Luther? Ist die Klage, man habe immer nur den Maler der Reformation gewürdigt, der er eigentlich gar nicht sei, berechtigt? Wie entschieden ist Cranach für die Reformation eingetreten? Der Versuch, Cranach als Freund Luthers darzustellen, ihn als denjenigen zu charakterisieren, der in einer Situation des Umbruchs und des Kampfes auch Partei ergriffen hat, kann nicht einfach auf ein fertiges Bild verweisen. Vielmehr ist neu abzuwägen, um das Bild eines Malers zu entwerfen, der die längste Zeit seines Lebens in einem festen Anstellungsverhältnis als Hofmaler stand, der für verschiedene Auftraggeber gearbeitet hat, dessen Werk zu einem großen Teil aus Arbeiten für kirchliche Zwecke besteht und der im räumlichen Zentrum des Geschehens arbeitete, das wir „Reformation“ nennen. Freilich können im vorgegebenen Rahmen nur einige der wichtigsten Linien gezogen werden.

Dabei ist daran zu erinnern, was Reformation ist und wie sie sich in der bildenden Kunst ausgewirkt hat. Lutherische Reformation war keine Änderung der Grundtatsachen des Glaubens, sondern zunächst einmal Abschaffung von Mißbräuchen. Zu ihnen konnte auch das Stiften von Altären, die Verehrung von Bildern und ähnliches gehören. Aber das wirkte sich höchstens quantitativ, nicht qualitativ aus. Zwar wurde die Haltung gegenüber Heiligenlegenden und Marienkult distanzierter, aber das zeigte sich in stärkerem Maße erst in einer späteren Zeit. Luther selbst konnte sich für derartige Darstellungen aussprechen. Das bedeutet aber für die bildende Kunst im Umkreis der frühen reformatorischen Bestrebungen, daß sie weithin von der Reformation unberührt blieb. Ein eigenes Gesicht zeigte in der Kunst die Reformation nur dort, wo sie der Kunst Themen stellte. Das war zunächst und allererst die Polemik. Erst später kam es zu Versuchen, Grundgehalte lutherischer Lehre auch ins Bild umzusetzen und Bekenntnis und Lehre bildlich zu formulieren. Und weiterhin kam es dahin, daß Themen, die an sich herkömmlich oder neutral waren, durch die unterschiedliche Benutzung bei Altgläubigen und Lutherischen zu konfessionellen Bildern wurden. Parteilich konnten solche Bilder auch dann werden, wenn Porträts von Zeitgenossen in die Darstellung aufgenommen wurden.

All dies charakterisiert auch die Kunst Cranachs, und von daher bestimmt sich überhaupt erst, was ein Begriff wie „Maler der Reformation" bedeuten könne. Geht man davon aus, daß der „Maler der Reformation" nur „Reformatorisches" gemalt haben dürfe und nichts, was auch als „altgläubig" eingestuft werden könnte, dann entsprechen die Voraussetzungen weder den historischen noch den konfessionellen Verhältnissen. Von Cranach nur „Reformatorisches" zu erwarten, ist ebenso unsinnig, wie ihn wegen herkömmlicher Themen als „altgläubig" oder „katholisch" zu qualifizieren. Die Frage kann nur lauten, wie sich Cranach dort engagiert hat, wo „Reformatorisches" verlangt war.

Cranach und Luther

Über das persönliche Verhältnis von Cranach und Luther kann zunächst nicht viel gesagt werden. Wenig hat sich davon schriftlich niedergeschlagen, da beide in Wittenberg wohnten. Die äußerlichen Gegebenheiten sind schnell referiert. Bereits 1520 wurde Luther Taufpate bei Cranachs. Cranach war 1525 Luthers Trauzeuge und 1526 seinerseits Taufpate bei Luthers erstem Kind. Das enge Verhältnis zeigt die Tatsache, daß Luther unmittelbar nach den Verhandlungen auf dem Wormser Reichstag im Brief an Cranach vom 28. 4. 1521 aus Frankfurt am Main über eben diese Verhandlungen berichtet und ihm als einzigem Wittenberger davon Mitteilung macht, daß man ihn „eintun und verbergen" werde.[2] Überdies bittet er ihn darum, einige Wittenberger Angelegenheiten zu regeln. Die persönlichste Äußerung liegt in Luthers Trostrede zum Tode von Cranachs Sohn Hans 1537 an den Vater vor.[3]

Wie eng die Beziehung beider war, zeigt sich dann freilich im Theologischen, darin, wie schnell und konsequent Cranach die Erkenntnisse Luthers übernahm und seinen eigenen Glauben danach formte. Und dies wiederum bringen die Bildgestaltungen Cranachs zutage.

Dabei kam es zu einer seltsamen Harmonie: Cranach war bildender Künstler, der auch in bildlichen Kategorien dachte. Luther dagegen war ein dichterisches Genie, er hatte ein besonderes Verhältnis zur Musik und hat ja auch selbst komponiert. Aber es ist nicht erkennbar, daß Luther auch nur geringen Sinn für die bildende Kunst gehabt hätte. Ästhetische Werte kennt er hier nicht, die Veranschaulichung ist für ihn ein rein pädagogisches Phänomen.

Wenn Luther von Frau Musica spricht oder über die Schönheit von Vögeln und Blumen, dann ordnet er ästhetische Erlebnisse theologisch ein. Spricht er über Bilder, dann sind sie ihm bloße Zeichen und kaum etwas anderes als das gesprochene Wort, ja eher dessen geringerer Ersatz. Man mag es für Zufall halten, daß Luther eben nicht wie andere zum Bilderstürmer wurde. Vielleicht hat aber hier auch die Freundschaft zu Cranach Früchte getragen? Jedenfalls tritt Luther – vor allem im Sinne des Mäßigens – gegen die Bilderstürmer auf. In seiner Schrift „Wider die himmlischen Propheten von den Bildern und Sakrament" von 1525 argumentiert er, daß Bilder zum Gedächtnis gut seien, und er nennt ausdrücklich „Kruzifix, Heiligenbild, Marienbild".[4] Und über die Nützlichkeit der Verbildlichung spricht er auch 1529 in der Vorrede zum Passional im Betbüchlein.[5]
Und so wird auch die bedeutendste Leistung Cranachs bei der Begründung einer besonderen evangelischen Bildkunst im Pädagogischen liegen, darin, daß er Gedanken verbildlicht und die Kunst der Reformation „nützlich" macht.

Der frühe Cranach

Lucas Cranach ist 1472 in Kronach in Franken in der Familie eines Malers geboren. Daß die Söhne das Handwerk des Vaters lernten, war normal, daß ein Maler seinen Sohn nach dem Malerheiligen Lucas nennt, verwundert nicht. Lucas Cranach wird zuerst in 1502/1503 in Wien greifbar, also doch schon als Dreißigjähriger, der sich einer gewissen Berühmtheit erfreut.
Damals porträtiert er u. a. das Ehepaar Cuspinian (1503). Cuspinian war ein berühmter Humanist und Diplomat, der später 1515 die Wiener Verträge zustandegebracht hat, die für vier Jahrhunderte die österreichisch-ungarische Monarchie begründeten. Wichtige Züge werden schon an diesen frühen Porträts deutlich. Cranach ist Kolorist. Er breitet einen Teppich prachtvoller, leuchtender Farben über die Bildfläche. Der Eindruck des Köstlichen verbindet sich mit Stimmungsvollem. Man meint etwas vom Charakter der Dargestellten in den Bildern zu spüren. Freilich, es ist eine Oberfläche wiedergegeben, die Gestalten sind nicht von innen heraus konstruiert, nicht aufgebaut. Die Körper verschwinden in den wenig gegliederten Massen der Gewänder. Die Köpfe, oder eher: die plastisch geformten Gesichter schauen oft aus den Gewändern wie aus einem Rahmen oder einem Fenster. Diese Art der Gestaltung bleibt zeitlebens für Cranach bestimmend.
Sie charakterisiert auch sein Verhältnis zu Dürer. Zeitlebens gibt es eine geheime Konkurrenz zwischen beiden. Cranach übernimmt Dürers Bildformeln

und Schemata, dauernd ist er in Auseinandersetzung mit ihm. Und doch wird bei Cranach etwas ganz anderes aus dem, was er übernimmt. Dürer ist Konstrukteur. Er baut den Raum und die Figuren im Raume auf, er erarbeitet sich die Gesetze der Perspektive. Wissenschaftlich-experimentell erforscht er die Verzerrungen und Verkürzungen, die die Strukturen durch den bestimmten Blickwinkel erleiden, und er erfindet Geräte, um räumliche Bezüge exakt auf die Fläche zu projizieren. Cranach sieht eine Fläche köstlichen Lebens, er gibt eine reizvolle Oberfläche wieder, gleichgültig, ob die Proportionen stimmen oder nicht, und es entsteht eine koloristische, aber auch von der farbigen Struktur her empfundene Einheit von Person und Landschaft.[6]
Cranach schafft auch Holzschnitte in dieser Zeit. In ihnen zeigt sich etwas Drängendes, fast Ekstatisches, was später verlorengeht. In zwei Kreuzigungen dieser Zeit macht die Landschaft die Bewegung der Menschen mit, beides ist eine Einheit. Damit ist aber ein weiteres gegeben: Cranach wird ein Leben lang auch Holzschnitte und Kupferstiche schaffen. Auch dies geschieht in Konkurrenz zu Dürer, ohne ihn in irgendeiner Weise zu erreichen. Dem Holzschnitt fehlte ja gerade das, was Cranachs Stärke war, die Farbe. Das ändert nichts daran, daß es von Cranach herrliche Grafiken gibt.

Der Hofmaler

Im Jahre 1505 wird Cranach von Friedrich dem Weisen als Hofmaler nach Wittenberg berufen. Fortan ist er in kurfürstlichen Diensten. Er muß sehr vieles machen, was heute eher Arbeit eines Stuben- oder Dekorationsmalers wäre. Er hat wohl von Anfang an einen Sold erhalten, später waren es 100 fl im Jahr. Das ist nicht viel, und es ist wohl auch nicht daran gedacht, daß er davon lebt. Er bekommt auch Sonderaufträge vom Kurfürsten gesondert bezahlt und er arbeitet viel für andere. Schließlich betrieb er eine Apotheke, für die er 1520 das Privileg erhält. Das lag nahe. Maler waren ohnehin Chemiker, die sich ihre Farben und Malmittel weitgehend selbst herstellten. Freilich vertrieb damals eine Apotheke auch vieles andere, und Cranach ist auch groß im Wein- und Bierhandel. Zeitweise betreibt er einen Verlag, er ist Ratsherr und Bürgermeister. Irgendwann vor 1520 liegt auch Cranachs Eheschließung mit Barbara Brengbier.
Der Erfolg blieb nicht aus. Einer zufälligen Nachricht von 1529 zufolge war Cranach damals der zweitreichste Bürger Wittenbergs. Der reichste war der Kanzler Gregor von Brück, und es scheint fast konsequent, daß beider Kinder später heirateten.
Von 1505 an führt Cranach das kurfürstlich-sächsische Wappen vor allem auf

seinen Holzschnitten, 1508 wird ihm das Wappen der geflügelten Schlange verliehen.
Cranach baute eine Werkstatt auf, die ungeheuer produktiv war. In den schriftlichen Quellen werden ein bis zwei Lehrjungen genannt, die höchste erwähnte Zahl von Gesellen ist elf. Cranach ist es gelungen, seine Werkstatt so zu formen, daß sie, bei ja doch individuellen Begabungen der einzelnen Mitarbeiter, in einem einheitlichen Cranach-Stil schuf. Das ist dann wiederum noch einmal im Rahmen nicht nur mittelalterlichen Werkstattbetriebes zu sehen. Mehrere waren an einem Werk beteiligt, der leitende Meister in verschiedenem Maße. Oft hat er vielleicht nur den Entwurf gemacht und schließlich die letzte Hand angelegt, oft mag seine Mitwirkung noch geringer gewesen sein. Alle Unterteilungen des Oeuvres in Eigenhändiges, Werkstatt und Schule gehen an den realen Verhältnissen vorbei. Man kann höchstens einen mehr oder weniger großen Anteil des Meisters selbst konstatieren. Cranachs Werkstatt konnte nicht nur Großaufträge übernehmen, sie konnte auch beliebige Motive bei entsprechender Nachfrage unendlich wiederholen, und das in einem Maße, wie wir es sonst bei keiner Werkstatt dieser Zeit kennen.
Das bedeutet für das Folgende: Bis 1547 ist Lucas Cranach d. Ä. Hofmaler in Wittenberg, vieles von dem, was hier geschaffen wird, geschieht in herzöglichem Auftrag. Cranach zeichnet für das, was in seiner Werkstatt geschaffen wird, verantwortlich und es ist ihm in gewisser Weise zuzuschreiben. Daher bleibt die ohnehin sehr hypothetische Scheidung von Händen hier unberücksichtigt.

Die Arbeit des Hofmalers

Neben allem anderen war ein wichtiges Arbeitsgebiet des Hofmalers die Ausstattung gottesdienstlicher Räume mit Altarretabeln, die nicht nur das Geglaubte zum Ausdruck brachten, sondern auch die Stellung des Herrschers dazu. Diese Werke können hier nur in Auswahl vorgeführt werden.
Auf dem Katharinenaltar von 1506, heute Dresden, ist in der Hauptszene des Martyriums der Heiligen als Zuschauer auch Friedrich der Weise dargestellt. Auch die Gestalt neben ihm trägt Porträtzüge, und die Vermutung, es handle sich um Christoph von Bayern, der mit Friedrich die Pilgerreise ins Heilige Land gemacht hatte, hat viel Wahrscheinlichkeit für sich.
Stärker in die heilige Szenerie eingebunden erscheint das fürstliche Brüderpaar Friedrich und Johann (der Beständige) auf dem Torgauer Altar von 1509. Beide erscheinen hier im Bild der Heiligen Sippe als die Ehemänner der Schwestern Mariae, Maria Kleophae und Maria Salome. Bei der Einglie-

(Abb. 1) Lucas Cranach, Pestblatt, 1505

derung von Zeitgenossen handelt es sich um ein geläufiges Verfahren. Unter den Ehemännern Annas ragt einer hervor, der die Züge Kaiser Maximilians trägt, so daß auch die hierarchische Herrschaftsstruktur in diesem Punkte korrekt wiedergegeben ist. Auch die beiden anderen Ehemänner Annas scheinen Porträtzüge zu tragen, ohne daß eine Identifikation möglich ist.

Direkter ist die Wiedergabe des fürstlichen Brüderpaares auf dem Dessauer Altar von 1510. Sie schließen sich der mittleren Madonna mit verehrenden Heiligen[7] auf den Flügeln mit ihrer Verehrung an. Ihnen sind ihre persönlichen Patrone, die sie Maria empfehlen, beigegeben. Mit der Zuordnung von Heiligen zu Christus oder zur Madonna durch Verehrung ist eine bei Cranach häufiger zu beobachtende Erscheinung bezeichnet. Sie wirkt wie ein Vorgriff auf die Reformation, doch ist nicht einmal sicher, ob nicht der auftraggebende Kurfürst für sie verantwortlich ist.

Von den graphischen Blättern sei aus der Frühzeit ein Holzschnitt genannt, der oft falsch bezeichnet wird. Es handelt sich um ein Blatt von 1505, das sich auf die Pestepidemie 1503/1506 bezieht (Abb. 1). Die beiden Pestheiligen Sebastian und Rochus knien hinter Maria und Johannes. Alle vier sind in Verehrung des Wappens Christi begriffen. Auch hier sind also die Heiligen Verehrende bzw. Bittende. Das Wappen (Schild) zeigt ein zweigeteiltes gekröntes Herz, das doch wohl die göttliche Liebe bezeichnet. Vor dem Herzen befindet sich ein Kruzifixus, der den allgemeinen Begriff göttlicher Liebe konkretisiert. Unter dem Kruzifixus schlingt sich ein Band mit der Inschrift „Virgo Mater Maria". Wichtig für das Verständnis dieses Pestblattes ist der Begriff der Arma Christi, den unsere Übersetzung „Leidenswerkzeuge" nur ungenau wiedergibt. Arma sind Waffen, niederdeutsch Wappen, wobei es um die auf den Waffen (Schild und Helm) wiedergegebenen Zeichen geht, die den sonst nicht erkennbaren Ritter identifizieren und charakterisieren. Christi Zeichen ist die am Kreuz offenbare Liebe. Auf sie bezieht sich der in der Pestnot Bittende, wobei die Heiligen seine Bitte vermitteln und unterstützen. Zwei Dinge sind wichtig: Das Kreuz ist ein T-Kreuz (Tau-Kreuz), d. h. es fehlt ihm der obere Kreuzarm. Dieses Kreuz aber galt als das Zeichen, das die Israeliten zum Schutz an ihren Häusern anbrachten, als der Engel des Herrn die Erstgeburt in Ägypten mit der Seuche schlug. Als solches und auch als Attribut des Seuchenheiligen Antonius galt es als unheilabwehrend und vor Seuchen schützend. Zum anderen scheint die Marienformel auf dem Herzen unmotiviert, umso mehr als ja Maria unten kniet. Doch hatten derartige Formeln Eigenleben gewonnen und wirkten in gleicher Weise übelabwehrend, so daß sich hier zwei verschiedenene Argumentationen überschneiden. Die Technik des Holzschnitts weist das Blatt als für weite Verbreitung gedacht aus.

Ein weiteres charakteristisches Blatt dieser Zeit ist die Himmelsleiter des Bonaventura (die mit Bonaventura direkt nichts zu tun hat), die wohl zwischen 1510 und 1515 entstanden ist. Zwischen der Hölle unten und der Trinität im Schema des Gnadenstuhls oben befindet sich die Leiter des Aufstiegs zu Gott. Die Stufen (Sprossen) sind bezeichnet:„Furcht ewiger Pein", „Verschmehung der welt", „Sein selbs kleinmechtigung" (Demut), „Demütige lieb gottes", „Lieb ewiger belonung". Die Holme tragen die Inschriften: „Messigkeit in gluckseligen dingen" und „Gedult in widderwertigen dingen". Dargestellt sind weiterhin, mit vielen Beischriften versehen, oben Heilige, von Maria auf der einen Seite und Petrus und Paulus auf der anderen angeführt, unten Menschen nach dem geläufigen Schema der Stände der Christenheit wiedergegeben. Auch hier sind wie oben die Gruppen nach Männern und Frauen getrennt. Die Gruppe der Männer wird von Papst und Kaiser als Vertretern der geistlichen und der weltlichen Stände angeführt, ist aber doch so angeordnet, daß eine Gestalt in die Mitte rückt: wohl Friedrich der Weise.

Beide genannten Blätter zeigen eine besondere Begabung Cranachs an, bildliche Veranschaulichungen von Lehrhaftem, Abstraktem zu geben. Ob bei diesen Blättern Cranach theologische Beratung gehabt hat, ist nicht auszumachen. In jedem Falle zeigt sich eine besondere Fähigkeit, Gedachtes ins Bild umzusetzen, die uns später wiederbegegnen wird.

Ein weiteres wichtiges Werk der Druckgraphik ist das Wittenberger Heiltumsbuch von 1509. Friedrich der Weise war gewiß ein frommer Mann, und der große von ihm zusammengebrachte Reliquienschatz von 5005 Partikeln ist ein Ausdruck dafür. Bei dem Heiltumsbuch handelt es sich um ein genaues Inventar dessen, was an Reliquiaren und an Reliquien darin vorhanden war. Cranach hat die Holzschnitte von den Reliquiaren angefertigt.

Auch eine bestimmte Art des Porträts scheint Friedrichs Frömmigkeit zum Ausdruck zu bringen. Wie andere Künstler auch hat Cranach solche Porträts gefertigt, die oft den Bezug zu einem Heiligen zeigen. Es war üblich, Kupferstichporträts an Freunde etc. zu versenden, wobei der Kupferstich als etwas Edleres galt. So hat Cranach einen Stich von Friedrich, Bartholomäus verehrend, gefertigt (um 1510). Ungewöhnlich war, daß der Herrscher im Holzschnitt, verbunden mit einem Heiligen oder einer Heilsaussage, erscheint, wurde der Holzschnitt doch als Billigware für die Bildbedürfnisse des einfachen Volkes hergestellt. Da Friedrich öfter im Holzschnitt erscheint, hat er offenbar ein besonderes Interesse gehabt, seine Untertanen über seine Frömmigkeit zu informieren. Und so gehört der Schnitt Cranachs, der Friedrich die Madonna verehrend zeigt, zu dem Bestreben des Kurfürsten, sein Frömmigkeit auch weiteren Kreisen publik zu machen. (Abb. 2)

Daß Cranach als Hofmaler dann auch vor allem die Aufgabe hatte, Bildnisse der fürstlichen Persönlichkeiten – sozusagen für die Ahnengalerie – zu malen, versteht sich fast von selbst. Cranachs Porträts sind hochgeschätzt gewesen.

In den Bereich des Hofmalers gehören dann wohl die vielen Darstellungen, die einer leichten Hofgesellschaft zum Amüsement dienten. Eine Fülle solcher Themen ist erhalten, die dann auch durch Jahrzehnte in unendlichen Wiederholungen produziert werden konnten: Die verliebte Alte, oder: Der verliebte Alte, Das Urteil des Paris, Die ruhende Nymphe, Venus und Amor, Das Goldene Zeitalter, Der Jungbrunnen, Herkules bei Omphale, etc. Vielleicht gehört hierhin auch manches biblische Thema: Der Sündenfall, David und Bathseba, Judith und Holofernes.

Was an Werken Cranachs nicht so deutlich als Arbeiten des Hofmalers zu identifizieren ist und vielleicht eher in anderem Auftrag gearbeitet ist, unterscheidet sich doch in der Art wenig von diesen. Das sind zumeist übliche Themen. In der Graphik hat Cranach Folgen geschaffen: Die Passion Christi, Die Apostel, Apostelmartyrien. In der Malerei sind dies vor allem Madonnen,

(Abb. 2) Lucas Cranach, Friedrich der Weise, die Madonna verehrend

Die Anbetung der Könige, oder auch eine Tafel wie die Vierzehn Nothelfer von 1505.

Besonders zu erwähnen sind aber doch einige Themen, die aus dem Rahmen des Geläufigen herausfallen. So hat es etwa einen Altar gegeben, der zwischen Brotvermehrung und Weinwunder im Hauptbild den zwölfjährigen Jesus im Tempel zeigte. Und auf dem Altar aus Mölbis von 1509 war ursprünglich zwischen zwei Krankenheilungen die Tempelaustreibung zu sehen. Worin dieses Thema motiviert ist, bleibt unerfindlich. Vielleicht hat es in der Wittenberger Frömmigkeit auch ein kritisches Bewußtsein im Sinne der Reform gegeben, doch wäre es gewiß verfehlt, wollte man dieses Bild im Sinne lutherischer Reformation deuten.

Engagement im Sinne der Reformation

Wie bereits festgestellt, hatte Cranach eine besondere Begabung, Gedanken zu verbildlichen. Deutlich zeigt sich dies an dem Holzschnitt, der zuerst „Reformatorisches" spiegelt, dem „Himmelwagen und Höllenwagen" von 1519 (Abb. 3). Hintergrund ist die theologische Kontroverse, die auf einer Disputation in Leipzig zwischen Eck und Karlstadt ausgetragen werden sollte. Sie fand dann Juni/Juli 1519 statt, wobei jetzt freilich Luther der Hauptbeteiligte war. Eine publizistische Vorbereitung erfolgte durch Karlstadt in Form einer Wort-Bild-Propaganda. Im Januar 1519 war das Konzept fertig, doch konnte es noch nicht gedruckt werden.[8] März 1519 erschien eine Fassung mit lateinischen Texten, von der ein Fragment erhalten ist, bald darauf eine Fassung mit deutschen Texten, in zwei Exemplaren erhalten.[9] Noch im April 1519 erschien eine Schrift Karlstadts mit umfangreicheren Erläuterungen zu den „Wagen".[10] Die Zahl von 53 Texten auf dem Blatt verdeckt fast die bildliche Darstellung, und wenn diese noch klar erkennbar ist, dann wird dies Cranachs Meisterschaft verdankt. Das Bild ist in zwei Zonen aufgeteilt. In der oberen fährt von rechts nach links der Himmelswagen, in dem der

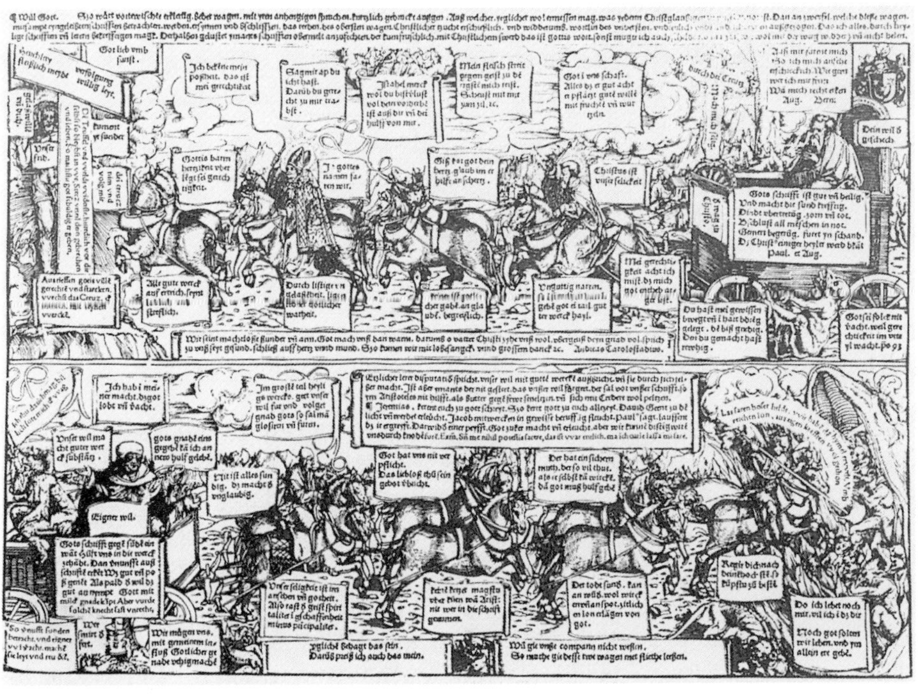

(Abb. 3) Lucas Cranach, Karlstadts Wagen, 1519

Mensch sitzt, der an sich nichts Gutes findet und sich Gott anheim gibt. Der Wagen wird von viermal zwei Pferden gezogen, auf denen Augustin und Paulus (beide nimbiert) als Vorreiter fungieren. Vor dem Wagen schwebt ein Kreuz mit der Aufschrift: „Mach mich selig durch dein Creutz“, das Ziel ist durch Christus mit dem Kreuz und die Aufschrift „kument yr sunder“ bezeichnet. In der Zone darunter wird ein Lehrer mit Doktorbarett (in der Erläuterung auch als „Mönch“ bezeichnet) in einem Wagen von sieben Pferden in der Gegenrichtung gezogen. Das Ende des Weges bezeichnet die Hölle. Die Beischriften besagen: „Ich hab in meiner macht, daß Gott lobt und veracht“, „Unser wil macht guter werck substantz“ und „Wir mügen uns mit gemeinem influß Gotlicher genade vehig machen“ (Abb. 4). Der zweite Vorreiter scheint Aristoteles zu sein, der erste ist ein Streiter, der nichts gegen die Hölle ausrichtet. Zwei Themen zeichnen das Blatt aus: der Gegensatz der von Gott geschenkten Gerechtigkeit und der selbsterworbenen, und zum anderen der Gegensatz von Heiliger Schrift und scholastischer Theologie. Mit Vehemenz ist hier also Luthers Protest und Lehre aufgenommen. Eck hat sich ob solcher Propaganda beim sächsischen Kurfürsten beklagt, und in Leipzig gab es heftige Reaktionen.[11] Die zum Ausdruck gebrachte Lehre stammt von Karlstadt (und weiterhin von Augustin und Luther), und auch die Auswahl der Sprüche. Aber gestaltet worden ist das Blatt von Cranach, und das ist nur in enger Zusammenarbeit denkbar.[12] Man kann fragen, ob dies eine Auftrags-

(Abb. 4) Lucas Cranach, Karlstadts Wagen, 1519, Detail

arbeit oder ein Bekenntnisakt war, und ob nicht das ganze noch im Rahmen eines Theologenstreits lag. Immerhin ist das Blatt nicht signiert, was doch auch die Gefährlichkeit der Angelegenheit verdeutlicht. Und die Folgezeit zeigt ein gleiches Engagement Cranachs.

Auf der Leipziger Disputation ist die Entwicklung ungeheuer vorangetrieben worden. Luther wurde nicht nur zu der Aussage gedrängt, daß Konzile irren können, die Autorität des Papstes wurde grundsätzlich in Frage gestellt. Die Entwicklung ging mit rasender Geschwindigkeit weiter. Es ging eben nicht nur um eine theologische Streitfrage, sondern um die Grundstruktur. Im Jahre 1520 erschien bereits Luthers Schrift „Von dem Papsttum in Rom“, die eben nicht nur eine Person kritisierte, sondern die Institution in Frage stellte. Die Logik war einfach: Luther will (wie viele andere auch) die Kirche reformieren oder einfach Mißbräuche abstellen. Jeder weiß, daß das dringend nötig ist. Seit mehr als einem Jahrhundert erschallt der Ruf nach der Reform der Kirche an Haupt und Gliedern. Nur der Teufel kann keine Reform wollen. Wenn auch der Papst das zu verhindern sucht, ist er der Antichrist. Diese Logik hat offenbar auch anderen eingeleuchtet, und sie haben dies als eigene Überzeugung übernommen.

Nach dem Wormser Reichstag 1521, wo Luther zum Ketzer erklärt wurde, erscheint die Schrift „Passional Christi und Antichristi“, lateinisch „Antithesis figurata vitae Christi et antichristi“. Das Passional ist zweimal im Briefwechsel Luthers erwähnt. Das ist nicht unwichtig für die Datierung.

Im Brief Luthers an Spalatin vom 7. 3. 1521 aus Wittenberg heißt es „Iam paratur Antithesis figurata Christi et papae, bonus pro laicis liber.“[13] (Die bildliche Antithese Christi und des Papstes ist schon in Arbeit, ein gutes Buch für die Laien). Festzuhalten bleibt, daß an die Laien als Adressaten gedacht ist, es ist also die deutsche Fassung geplant.

Am 26. 5. 1521, also zweieinhalb Monate später, schreibt Luther von der Wartburg an Melanchthon[14] und erwähnt dabei das Passional. Vom zweiten Satzteil sind zwei Fassungen überliefert: „Passionale antitheton mire placet, Joh. Schwertfeger spero fore tibi succenturiatum.“ (Das Passional antitheton gefällt [mir] wunderbar, ich hoffe, daß dir Joh. Schwertfeger [dort, wo du nicht weiterkommst, in den kanonistischen Dingen] helfen wird). Luther scheint nicht einen völlig neuen Vorschlag zu machen, sondern erfahren zu haben, daß Schwertfeger Melanchthon helfen will. Darauf nimmt er nun Bezug, obwohl ihm noch nichts Konkretes vorliegt. Die andere Version sagt: „Joh. Schwertfeger in ea opera video tibi succenturiatum“ (Ich sehe, daß dir Joh. Schwertfeger bei diesen Arbeiten hilft). Eine Vollendung der Arbeiten ist auch in dieser Formulierung nicht ausgesagt. Dann aber hat Luther anscheinend nur die Cranachschen Holzschnitte zur Hand.

In keinem Falle sind die Belege so, daß man die Fertigstellung des Passionals – so die geläufige Meinung – vor dem 26. 5. 1521 anzusetzen habe. Vielmehr ist das Passional noch in Arbeit, und die ganze Art, wie Luther davon spricht, zeigt, daß er das Werk gutheißt, aber selber kaum beteiligt ist. Auch wenn schon am 7. 3. vom Passional die Rede ist, so brauchte doch die Anfertigung von 26 Holzschnitten ihre Zeit. Luther war bereits am 2. 4. nach Worms abgereist, nach dem Reichstag war er verschwunden, auf die Wartburg verbracht. Und so sind es Melanchthon, Schwertfeger und natürlich Cranach, die – freilich ganz im Sinne Luthers – die Arbeit geleistet haben. Die Bildgestaltung aber geht auf die Cranach-Werkstatt zurück, und wenn der Text direkt auf die (vorliegenden) Bilder Bezug nimmt („Hier sitzt der Antichrist..."), dann handelt es sich nicht um eine Illustration von Textzusammenstellungen, sondern eher um eine Bilderreihe, die später kommentiert wird. Insgesamt aber ist das Werk wohl nur als Zusammenarbeit denkbar.

In 13 Antithesen werden Christus und der Papst als Antichrist gegenübergestellt und beide miteinander in Bildern und Texten verglichen. Für Christus werden als charakteristisch Demut, Armut und Leiden herausgestellt, die Kritik am Papst beinhaltet vor allem seinen Anspruch auf (höchste) weltliche Herrschaft, das entsprechende Handeln, Repräsentieren, die Lebensweise. So sind also etwa die Dornenkrönung Christi und die dreifache Papstkrone, die Fußwaschung durch Christus und der Fußkuß des Papstes (Abb. 5), Einzug Christi in Jerusalem und der reitende Papst auf dem Kriegszug gegenübergestellt.

Die Christusbilder sind ikonographisch teils traditionell, teils Neuerfindungen, die Antichristbilder alle neu. Als Text stehen bei den Christusbildern entweder die zur Szene gehörenden Bibeltexte, oder aber andere, kommentierende, wie bei der Geburt Christi: „Die fuchß haben yre grüben unnd die fogell der lufft ire nester, Aber der son des menschen hat nicht do er sein heubt legte. Lu 9" etc. Unter den Antichristbildern stehen verschiedene Texte, freie Kommentare, Schriftstellen und vor allem Texte aus den Dekretalien. Es geht um den Nachweis, daß das Papsttum nicht nur faktisch im Gegensatz zum christlichen Wesen steht, wie die Schriftworte ausweisen, sondern daß das geistliche Recht als solches gegen das Evangelium verstößt, wie das Nachwort ausdrücklich als Inhalt des Büchleins bestätigt. Insofern bleibt das „Passional Christi und Antichristi" in seiner Schilderung des Papsttums sachlich und zurückhaltend, wirkt aber darum um so kräftiger. Es verzichtet auch auf alles Persönliche und ist insofern harmlos gemessen an dem, was jede neuere Papstgeschichte auch über Leo X. zu berichten weiß. Das Passional erschien ohne Autor, Verlag, Jahreszahl. Es erlebte noch 1521 weitere Auflagen und die Antithesen sind auch in andere Bildgattungen übergegangen.

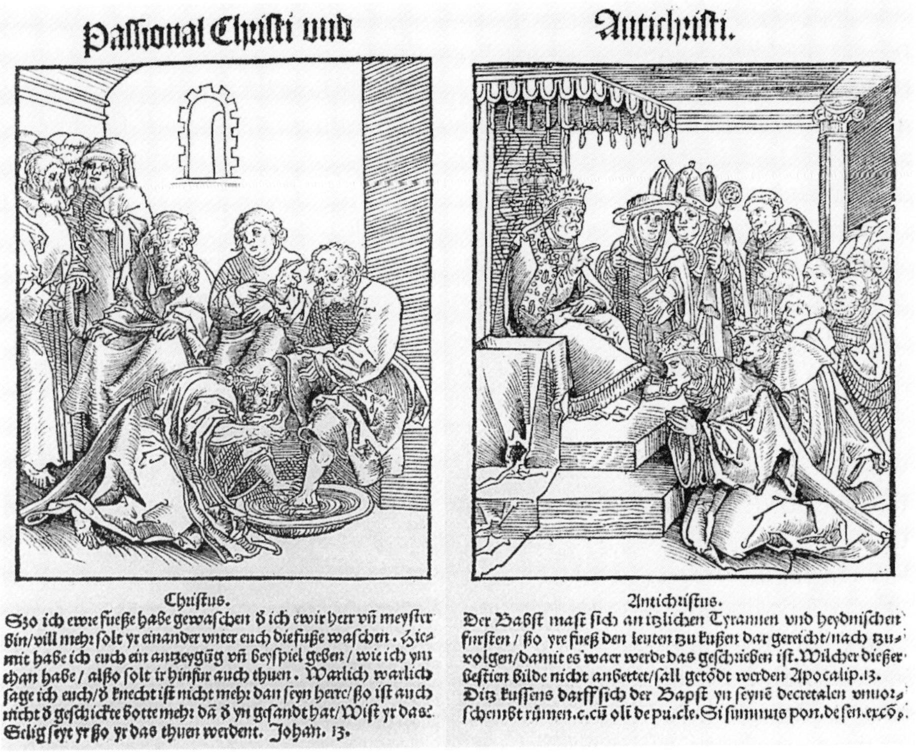

(Abb. 5) Lucas Cranach, Passional Christi und Antichristi, 1521

Cranach arbeitet also dort, wo es nicht um direkte Aufträge geht, sondern eigene Erfindung, Bildentwürfe etc. gefragt sind, seit 1519 eng mit verschiedenen Leuten, die Reformation betreiben, zusammen, Karlstadt, Melanchthon, Schwertfeger, bald auch Luther. Ein unmittelbarer Gewinn für Cranach ist nicht ersichtlich, eher Gefährdung. Offenbar ist hier doch die eigene Überzeugung wirksam. Ohne Rücksicht auch auf den Kurfürsten, dessen Hofmaler er ist, und andere Autoritäten, genauer: ohne Rücksicht auf das Lebensgefährliche der Situation, engagiert er sich.

Für die Entwicklung evangelischer Themen ist es wichtig geworden, daß die frühesten Arbeiten Cranachs dieser Art keine Malereien, sondern Holzschnitte waren, also Werke der Vervielfältigung, die viele im weiten Umkreis erreichten.

Der nächste Schritt geht in die gleiche Richtung. Luther hat auf der Wartburg das Neue Testament übersetzt. Anfang Mai 1522 ging es in den Druck und erschien ein knappes halbes Jahr später als sog. Septembertestament. Cranach

und der Goldschmied Christian Döring stellten das Betriebskapital für den Druck zur Verfügung.[15] Melchior Lotter richtete im Hause Cranachs eine Druckerei mit zwei, zeitweise drei Pressen ein. Die Cranach-Werkstatt übernahm die Illustration. Während die übrigen Schriften des Neuen Testaments nur mit Autorenbildern versehen waren, wurde die Apocalypse illustriert, was freilich älterer Tradition entsprach.
Cranach selber lieferte neun Blätter, ein Geselle, der mit dem Monogrammisten MB zu identifizieren ist, zehn Blätter, ein weiterer wurde zuletzt hinzugezogen, als die Zeit drängte. Er lieferte zwei Blätter, von denen eins mit HB signiert ist. Das Vorbild, an das man sich eng anlehnte, waren Dürers Holzschnitte zur Apocalypse. Trotz aller Rettungsversuche, die in neuerer Zeit unternommen wurden, muß festgestellt werden, daß Cranach und seine Werkstatt in der künstlerischen Qualität weit hinter Dürer zurückbleiben.
Wichtig ist die inhaltliche Aussage. Die Apocalypse handelt ja doch vom Kommen des Antichrists, und auch hier sind Antichrist und Papst identifiziert worden. Das wird in einigen Illustrationen zum Ausdruck gebracht. In drei Bildern hat das Tier aus dem Abgrund (Apc 11,7; 16,13) bzw. die Hure Babylon (17,3-5) die dreifache Papstkrone (Tiara) auf, in zwei Bildern ist das untergehende Babylon (14,8; 18,2-20) nach dem Holzschnitt der Schedelschen Weltchronik als Rom wiedergegeben. Weitere Details sind wenig klar. Eine direkte Einflußnahme Luthers ist nicht zu erweisen, aber die Vorstellungen entsprechen lutherischem Denken. Diese Interpretationen des Textes durch das Bild erregten sogleich heftigste Reaktionen, die sich offenbar auf die Papstkronen bezogen. Da das Septembertestament sehr schnell vergriffen war, kam es schon im Dezember zu einem Nachdruck. In diesem sind, vielleicht auf Intervention des Kurfürsten, die drei Papstkronen jeweils auf eine normale Krone reduziert, die Rombilder blieben. Nicht nur die Übersetzung des Neuen Testaments, auch die Illustration war von ungeheurer Wirkung. Für die Nachdrucke der Übersetzung sind zunächst die Cranachschen Holzschnitte verwendet worden, später sind die Bibeln von vielen Künstlern in Anlehnung an die Cranach-Schnitte illustriert worden, und auch die „altgläubige“ Ausgabe des deutschen Neuen Testaments durch Hieronymus Emser 1527, auf Initiative Georgs des Bärtigen besorgt, ist nicht nur im Text an Luther angelehnt, sondern übernimmt auch die Cranachschen Holzschnitte, deren Stöcke für 40 Taler angekauft wurden. Von hier aus sind Cranachs Holzschnitte dann auch im „altgläubigen“ Bereich kopiert worden. Bei den späteren Bibel-Illustrationen war Cranach nur ausnahmsweise beteiligt.
Doch ist Cranach auch weiterhin für Luther mit graphischen Arbeiten tätig gewesen. So hat er etwa 1529 Luthers Katechismus illustriert, ebenso das Passionsbüchlein, und die Komposition „Gesetz und Gnade“ geschaffen.

Zu den Arbeiten für Luther, aber auch für andere, gehören Titelholzschnitte. Der Sitte der Zeit entsprechend waren die Titel auf den Titelblättern der Bücher mehr oder weniger aufwendig gerahmt. Diese Rahmungen reichten vom einfachen Ornament bis zu inhaltsbezogenen Gestaltungen. Ökonomisches Denken führte oft dazu, daß ältere Rahmungen wiederverwendet wurden. Auch konnte der Rahmen aus mehreren Teilen zusammengesetzt sein, die dann wieder benutzt wurden. Die Darstellungen der Titelholzschnitte stehen in losem oder engerem Zusammenhang mit dem Inhalt des Buches. Wenn auf dem Titel für das Buch des Propheten Jona dieser in verschiedenen Situationen dargestellt war, ist der Zusammenhang eng. Wenn da, wo es um die Predigt des Wortes Gottes geht, ein Titelrahmen mit dem Abschied der Apostel benutzt ist, hat man einen Rahmen wiederverwendet, der ungefähr zum Thema paßt. Oft aber hat auch der Rahmen nichts mit dem Inhalt zu tun. Nicht zu vergessen bleibt, daß Cranach auch als Buchdrucker tätig gewesen ist. Aus der Cranach-Döring Presse sind 36 Drucke, ausschließlich von Lutherschriften, hervorgegangen, bis sich Cranach 1526 aus diesem Geschäft zurückzog.
Seit 1518 ist also eine Parteinahme Cranachs für die Reformatoren nachweisbar. Diese Arbeiten sind nicht signiert oder anderweitig gekennzeichnet. Cranach war ein reicher Mann, seine Werkstatt florierte und war nicht auf diese Arbeiten angewiesen. Cranach konnte durch diese Aktivitäten nur Wohlstand und Arbeit in Frage stellen.

Cranach in den Bahnen der Tradition

Ehe weiterhin nach dem spezifisch Reformatorischen in Cranachs Kunst zu fragen ist, muß ein Blick auf den „herkommlichen“ Cranach geworfen werden.
Die Reformation setzte zentral an einem Punkt an, der Rechtfertigung des Sünders aus göttlicher Gnade. Anderes lief daneben weiter, es gab noch keine scharfen Trennungen. Freilich müssen die Aufträge für Cranach zurückgegangen sein, als die Stiftung von Altären nicht mehr als verdienstliches Werk galt. Und Marien- und Heiligendarstellungen mögen auch seltener verlangt worden sein. Doch äußert im Jahre 1525 Luther gegen die Bilderstürmer, daß Bilder zum Gedächtnis gut seien, und er nennt ausdrücklich „Kruzifix, Heiligenbild, Marienbild“. Und schließlich waren ja solche Bilder nicht so verpönt, als daß sie nicht bis heute im Gebiet der lutherischen Reformation auf den Altären stünden.
Cranachs Werkstatt arbeitete weiterhin für verschiedene Auftraggeber, mö-

gen sie sich als altgläubig oder lutherisch verstanden haben. Manches scheint auch (bis zu dessen Tode 1525) über Friedrich den Weisen gelaufen zu sein, der ja doch dem Hofmaler Aufträge erteilen konnte und der bei aller Entschiedenheit letztlich für die Reformation doch auf diplomatischem Wege versuchte, Zusammenstöße zu vermeiden. Hier kommen vor allem drei Adressaten in Frage: die Albertiner, die Brandenburger, der Kaiser.
Die Erbteilung, die Sachsen 1485 auf die Ernestiner in Wittenberg und die Albertiner in Meissen (und dann auch schon Dresden) verteilt hatte, bedeutete keine vollständige Trennung, auch nicht, als Friedrich der Weise die lutherische Reformation gewähren ließ oder unterstützte, während Georg der Bärtige sich ihr streng widersetzte.
So stammt der Kreuzaltar des Meißener Doms von 1526 aus der Cranach-Werkstatt. Im geöffneten Zustand ist die Kreuzigung Christi sichtbar, mit der Kreuzeslegende auf den Flügeln, im geschlossenen Christus und Maria als Schmerzensmann und Schmerzensmutter.
Und in der Georgskapelle desselben Doms findet sich über den Gräbern Georgs († 1539) und seiner Gemahlin Barbara deren Epitaph, das Cranach wohl zum Tode der letzteren 1534 angefertigt hat. Das Herzogspaar wendet sich bittend dem Schmerzensmann zu, ihnen beigegeben sind fürbittend assistierend Jacobus und Andreas und belehrend Petrus und Paulus. Die beiden letzteren weisen auf ihre Aussprüche, die die Aufgaben der Ehefrau (Eph 5, 22. 28. 33; 1 Tim 2,9) und die Beauftragung des Herrschers (1 Petr 2, 13–15) beschreiben.
Das Verhältnis zwischen Cranach und diesem streng altgläubigem Fürsten ist bei Cyriacus Spangenberg 1591 in einer Anekdote beschrieben.[16] Georg von Sachsen war eine Luther-Schrift von 1526, aber ohne Verfasserangabe, in die Hände gekommen. Er hielt sie Cranach, der gerade bei ihm in Dresden arbeitete, vor: „Siehe Lucas, du rühmst immer deinen Mönch zu Wittenberg, den Luder, wie der allein so gelehrt sei und allein gut deutsch reden und gute deutsche Bücher schreiben könne, ...“, und pries dieses Büchlein, worauf Cranach ihm bewies, daß es von Luther sei. Wie historisch diese Anekdote ist, sei dahingestellt, doch wird man sich ähnlich das Verhältnis beider vorstellen müssen. Überhaupt zeigt die Tradition Cranach in vertrautem Verkehr mit Herrscherpersönlichkeiten.
Mit zwei benachbarten Brandenburgern war Friedrich der Weise in Kontakt, die zusammen drei der sieben Kurfürsten ausmachten. Hier kommt zunächst Kardinal Albrecht in Frage. Dieser Sohn des Brandenburger Kurfürsten war in jugendlichen Jahren zum höchsten geistlichen Würdenträger in Deutschland avanciert, Erzbischof von Mainz, Erzbischof von Magdeburg, Administrator des Bistums Halberstadt, einer der mächtigsten Männer im Reich. Er

(Abb. 6) Lucas Cranach, Altarentwurf mit der Kreuztragung Christi

hätte wohl auch der reichste sein können, aber das war der Fugger in Augsburg, bei dem Albrecht tief verschuldet war. Dieser hatte ihm das Geld für den Kauf so vieler Ämter vorgestreckt, das Papsttum hatte ihm zur Bezahlung das Vertreiben eines Ablasses genehmigt, und das war schließlich der Auslöser für die Reformation geworden. Aber nicht genug damit, Albrecht war auch außerordentlich verschwenderisch und machte kontinuierlich Schulden.

Cranach hat Albrecht mehrfach porträtiert.

Albrecht residierte zunächst vor allem in Halle auf der Moritzburg und hat hier die alte Dominikanerkirche zum Domstift ausgebaut. Zu allem Prunk, der sich besonders in den kostbaren Reliquiaren der großen Reliquiensammlung manifestierte, gehörte auch die Ausstattung der Stiftskirche mit Altären. Die Details sind unklar, doch steht der Gesamtplan einigermaßen fest, und sicher ist auch, daß Cranach Visierungen für die Altarretabeln vorgenommen hat. Wie weit die Mitwirkung ging und ob auch die Ausführung bei der Cranach-Werkstatt lag, ist nicht sicher. Fünf Visierungen Cranachs für Altarretabeln, erhalten in Weimar, Leipzig, Paris (Abb. 6) und Berlin, können

durch die Übereinstimmung der Szenen und der Heiligen mit den Altarpatrozinien auf die Hallenser Stiftskirche bezogen werden. Ein Entwurf kann angefügt werden, Zeichnungen ehem. in Dresden und in Erlangen (Kopien) ergänzen. Vier der Visierungen zeigen Retabeln mit zwei beweglichen Flügeln, eins hat deren vier. Die Hauptszenen zeigen Christus vor Kaiphas, Geißelung, Kreuztragung, Kreuzannagelung (mit vier beweglichen Flügeln) und Beweinung Christi. Freilich hat der ausgeführte Zyklus Änderungen gegenüber den Visierungen aufgewiesen. Mit weiteren Arbeiten aus der Cranach-Werkstatt ergibt dies insgesamt etwa 142 Tafelmalereien.
Das Inventar ist ziemlich genau und unterscheidet, ob es sich um eine„Tafel mit vier Flügeln“ oder einfach um eine „Tafel“ handelt. Im Inventar sind als Tafeln mit vier Flügeln aus dem eigentlichen Zyklus nur drei bezeichnet: das Retabel auf dem Kreuzaltar vor der Mitte des Lettners mit der Kreuzigung, das ziemlich am Anfang stehende auf dem Erasmus-Altar mit der Fußwaschung und das annähernd am Ende stehende auf dem Peter-Pauls-Altar mit der Kreuzabnahme. Da die Inventarisierung mehr oder weniger den Weg nachgeht, auf dem die Passionsgeschichte angeordnet ist, nämlich im Südseitenschiff von Ost nach West, dann im Nordseitenschiff von West nach Ost, ergibt sich als wahrscheinlich, daß die drei großen Flügelaltäre in den drei Schiffen auf einer Linie standen und einen gewissen Abschluß nach Osten schufen. Wie in dem Zeitraum von 3–4 Jahren ein solch riesiges Werk geschaffen werden konnte, bleibt unerfindlich.
Auch von den Bildern anderer Thematik in Halle ist anscheinend einiges von Cranach gewesen. Sicher ist, daß wohl 16 Altäre und einige separate Tafeln einen Passionszyklus (mit den Herrlichkeitsszenen[17]) aufwiesen. Die Rekonstruktion im einzelnen bleibt hypothetisch. Vor 1519/20 kann das Werk nicht begonnen worden sein, 1525 muß es vollendet gewesen sein. Die Anordnung ist bereits genannt worden. Die Altäre scheinen nicht an die Pfeiler angelehnt gewesen zu sein. Die Kreuzigung bildete das Altarbild des Laien-(Kreuz-)Altars, doch wohl am Lettner.
Neu ist, daß das einzelne Altarretabel nicht wie üblich ein in sich abgeschlossenes Programm bildet, sondern daß eine Reihe über die Kirche verteilter Retabeln in den Hauptbildern einen historischen Zyklus bildet. Dafür sind bisher erst drei Beispiele benannt worden: außer dem Zyklus in Halle seine Berliner Kopie (s. u.) und der Zyklus in Meßkirch. Aber dieses Neue entspricht doch nur anderen Erscheinungen der Zeit, vor allem der Herausbildung des Kreuzweges.
Man könnte sich gut vorstellen, daß Friedrich der Weise Cranach an Albrecht vermittelt hat. Waren doch beide etwa bei der Kaiserwahl 1519 und später auf Reichstagen zusammen, haben aber auch zusammen gejagt.

Eine Kopie der Anlage in Halle ist die Ausstattung der Stiftskirche in Berlin-Cölln (Dom) 1537–1538, wo wohl ein ähnlicher Passionszyklus im wesentlichen über 14 Nebenaltäre verteilt war. Erhalten ist eine Visierung Cranachs, neun oder zehn der Hauptbilder und vielleicht eine Predella. Auch hier hat die Cranach-Werkstatt in unglaublich kurzer Zeit eine sehr große Anzahl von Gemälden geliefert.
Auf ein weiteres, wenig beachtetes Werk habe ich aufmerksam machen können. Dieses sehr qualitätvolle Werk stammt aus dem Prager Veitsdom und ist beim Bildersturm 1619 zerstört worden, so daß heute nur noch Fragmente existieren. Es handelt sich wahrscheinlich um eine kaiserliche Stiftung, was auch hier eine Vermittlung durch Friedrich den Weisen nahelegen könnte. Im geschlossenen Zustand war die auch sonst häufig an dieser Stelle vorkommende Verkündigung an Maria dargestellt, bei der Öffnung zeigte sich ein kunstvolles theologisches Konzept, das kaum auf Cranach zurückgeht. Acht heilige Jungfrauen bringen die Bitten der ihnen per Patronat Anvertrauten Maria dar. Auch hier ist also die Rolle der Heiligen als Fürbitter betont.

Reformatorische Themen

Schließlich sind die Themen zu betrachten, die nicht einfach polemische Reaktion sind, sondern reformatorische Lehre zum Ausdruck bringen wollen und darin entweder traditionell sind, aber in neue Funktion eintreten, oder aber als Sonderbildungen gelten müssen. Vorangestellt seien wegen ihrer Bedeutung die Porträts von Reformatoren, allen voran Luthers. Seit 1520 hat Cranach Luther porträtiert, und vor allem seine Kupferstiche sind von anderen kopiert worden. Die immer wieder in der Cranach-Werkstatt benutzte Gemälde-Vorlage ist für die Nachwelt zum eigentlichen Bildnis Luthers geworden. Das persönliche Verhältnis zu diesem zeigt sich auch darin, daß Cranach auch Katharina von Bora und Luthers Eltern porträtiert hat.
Ein bereits früh begegnendes Thema ist „Christus und die Ehebrecherin“, das Cranach dann etwa zwanzigmal wiederholt hat. Die spätere Häufung läßt natürlich daran denken, daß hier die Vergebung allein aus Gnade gemeint ist. So hat auch Luther die Perikope in einer Predigt von 1531 ausgelegt, wo er sagt, daß Christus alle zu Sündern macht, um sie zu erretten.[18] Doch liegt schon von 1509 eine Zeichnung Cranachs vor. Und im Inventar des Hallenser Stifts von 1525 ist eine Tafel „Dye beschuldigunge der ehebrecherin“ aufgeführt. Es ist nicht unmöglich, daß dieses Werk von Cranach stammt. Aber ausgeschlossen scheint, daß Kardinal Albrecht in dieser Malerei ein reformatorisches Werk gesehen hat.

(Abb. 7) Lucas Cranach, Kindersegnung

Ein Thema mit reformatorischem Akzent ist gewiß die Kindersegnung (Abb. 7). Christus wendet sich den Kindern zu, die keine Verdienste haben. Die ältesten datierten Beispiele sind 1537 und 1538 entstanden, doch sind undatierte Beispiele etwas älter. Von den mindestens 23 Wiederholungen ist gewiß keine vor 1530 entstanden. Es scheint sicher, daß das Thema ein Argument für die Säuglingstaufe darstellt und auf eine Kumulation in der Auseinandersetzung mit den Wiedertäufern antwortet. Welches freilich die konkrete Situation war, der das Thema seinen Ursprung verdankt, ob dies das Täuferreich in Münster war, ob es im Ringen um Anerkennung und Einigung, um die Konfession und um das Konzil geraten schien, an diesem Punkte das Beharren bei der Tradition zu betonen und sich von den Radikalen abzusetzen, muß offen bleiben. Jedenfalls gehen 1529/30 kaiserliche Edikte und die Befürwortung eines Vorgehens der weltlichen Gewalt gegen die Täufer durch Luther überein. Da der sächsische Kurfürst mindestens viermal 1539 (bis), 1543, 1550 derartige Bilder bei Cranach bezahlte, kann man fragen, ob nicht ihr Anbringen in den Kirchen des Landes eine gezielte, landesherrlich unterstützte Propaganda darstellte.

Eine Sonderentwicklung ergibt sich bei dem Thema der Kreuzigung.

Zunächst wird auch in Cranachs Werkstatt die übliche vielfigurige Kreuzigungsszene mit dem toten Christus, der die Seitenwunde aufweist, dargestellt. In ihr kommt auch der Hauptmann vor, der bekennt „Wahrlich, dieser ist Gottes Sohn gewesen!".

Hier setzt nun ein doppelter Wandel ein. Christus ist als der noch Lebende – mit offenen Augen und ohne Seitenwunde – wiedergegeben. Dabei greift Cranach auf Dürer zurück, der dieses Thema bereits 1500 gestaltet hatte. Das entspricht den Tendenzen seit dem späten 15. Jahrhundert. Aber bei Cranach wird das in besonderer Weise interpretiert: Beigegeben sind die Worte: „Vater, in deine Hände befehle ich meinen Geist!" Damit ist der Augenblick vor dem Sterben oder des Sterbens gekennzeichnet. Zum andern kommt es nun zu einer Verkürzung der vielfigurigen Szene, indem Christus mit Schächern und Hauptmann allein oder mit wechselnden anderen Gruppen dargestellt wird, ein Typus, der sich darin auch von dem isolierten Kruzifixus mit eigener Tradition unterscheidet. Die Versuchung ist groß, im reuigen Schächer, der keine guten Taten aufweisen und nichts wiedergutmachen kann, den allein aus Gnade selig gesprochenen zu sehen. Doch wendet sich zwar der Schächer Christus zu, doch Christus nicht eigentlich zu diesem, auch wenn er das Haupt nach dieser Seite neigt. Als Wort Christi ist auch nicht die Lossprechung des Schächers beigeschrieben, sondern eben „Vater, in deine Hände befehle ich meinen Geist!". Darin entspricht das „Vater" dem „Sohn" im beigeschriebenen Bekenntnis des Hauptmanns: „Wahrlich, dieser Mensch ist Gottes Sohn gewesen." Wenn um dieser Entsprechung willen nun wiederum ein Anachronismus konstruiert wird – der Hauptmann reagiert auf den Tod Christi, Christus kann nur als noch lebender sprechen und ist bewußt als solcher dargestellt – , dann muß dies die eigentliche Aussage des Bildes sein: Der in menschlicher Schwachheit leidende, sterbende Christus ist Gottes Sohn.

Ein Thema, das ungeheuer wirksam geworden ist, kann als der Versuch Cranachs gelten, lutherische Lehre ins Bild umzusetzen: „Sündenfall und Erlösung", „Gesetz und Gnade" oder ähnlich. In der entwickelten Form des „Gothaer Typs" wird der Mensch, also der Sünder, auf der einen Seite von Moses verklagt, von Tod und Teufel zur Hölle gejagt, auf der anderen durch Tod und Auferstehung Christi gerettet. Dabei besiegt Christus in der Auferstehung Tod und Teufel, während die Heilswirkung seines Todes durch einen Blutstrahl angezeigt ist, der aus der Seitenwunde auf den Sünder trifft, den Johannes der Täufer auf Christus als sündentragendes Gotteslamm hinweist. Ein mittlerer Baum, auf der Seite des Gesetzes verdorrt, auf der anderen grünend, trennt beide Bildteile. Weitere klein eingestreute Szenen bezeichnen Stationen der Unheils- und Heilsgeschichte, vom Sündenfall über

die Erhöhung der ehernen Schlange und die Geburt Christi (als Verkündigung an Maria und Verkündigung an die Hirten) zum Jüngsten Gericht.
Das Thema ist – wohl auch in seinen Varianten – 1529 entwickelt worden. Zwei Zeichnungen und ein Holzschnitt zeigen das Werden. Auf einer ersten Zeichnung tritt rechts das kreuztragende Lamm auf Tod und Teufel. Auf der zweiten Zeichnung und im Holzschnitt sind bereits Kruzifixus und Auferstandener wiedergegeben, das Lamm ist zum Interpretament geworden. Dazu kommt der trennende Baum und der Blutstrahl aus Christi Seitenwunde. Die Komposition ist vielfach in der Malerei der Cranach-Werkstatt wiederholt worden. Eine Variante stellt der „Prager Typ" dar, wo auf der linken Seite der Mensch sich selbst im Grabe liegend gegenüber sitzt, sich aber, von einem Propheten und Johannes d. T. gewiesen, zum Kruzifixus auf der rechten Seite umwendet. Bibelsprüche als Über- und Unterschriften erläutern: über der Gesetzesseite: Rom 1,18a, darunter Rom 3,23b; 1 Cor 15,56; Rom 4,15a; Rom 3,20b; Mt 11,13; über der Gnade: Is 7,14ab, darunter Rom 1,17c; Rom 3,28; Jo 1,29b; 1Petr 1,2bc; 1Cor 15,55.57. Diese konnten auch gedruckt und aufgeklebt sein, was zeigt, daß man an viele Kopien gedacht hat. Einen Titelrahmen mit dem Thema hat Cranach für die Lutherbibeln von 1541 geschaffen. Es hat auch darüber hinaus die größte Wirkung gehabt.
Eine gewisse Zusammenfassung bietet der Schneeberger Altar von 1539, der im geschlossenen Zustand das Sünde-Gnade-Schema, im geöffneten Zustand zwischen Gethsemane und Auferstehung (mit den Herzogsbildern) die vielfigurige Kreuzigung zeigte, aber doch mit Betonung des Hauptmanns. Die Predella nahm das Abendmahl ein.
Der Holzschnitt mag nicht Cranachs Stärke gewesen sein, doch sind seine Holzschnitte ungeheuer wirksam geworden. Außer dem Lehrbild und der Bibelillustration betrifft das vor allem die Illustration des Katechismus. In diesem sind es die Gebote, das Glaubensbekenntnis und das Vaterunser, die illustriert wurden. Da das Credo (Apostolicum) nicht mehr (nach der Zahl der Apostel) zwölfgeteilt, sondern nach den Artikeln dreigeteilt war, genügten für deren Illustration anderweitig schon verwendete Holzschnitte. Anders war es bei den beiden anderen Teilen. Cranach hat 1527 Melanchthons Katechismus in Form von zwei Tafeldrucken, Gebote und Vaterunser, illustriert. Da dieser die Zehn Gebote durch alttestamentliche Beispielgeschichten, das Vaterunser vor allem durch neutestamentliche Geschichten erläutert, waren Darstellungen dieser Geschichten gefordert, die Cranach geliefert hat. Diese Bilder sind auch für Luthers Katechismen 1529 übernommen worden, obwohl hier die biblischen Beispielgeschichten fehlen. Aber auch sonst hat nicht nur die neue Art der Katechismus-Illustration weit gewirkt, sondern speziell auch Cranachs Schnitte.[19]

Programmatischen Charakter haben Bilder für die Ausstattung der 1544 von Luther eingeweihten Torgauer Schloßkapelle gehabt, die als Neubau am Anfang nicht nur in der Reihe evangelischer Schloßkapellen, sondern evangelischen Kirchenbaus überhaupt steht. 1544 erhielt der Altar ein großes Triptychon mit der Darstellung des Abendmahls, das von der Fußwaschung und der Gethsemane-Szene gerahmt war. Für die Wahl des Hauptthemas kann auf Luther selbst verwiesen werden, der bereits 1530 geäußert hatte:„Wer hie lust hette, tafeln auff den altar lassen zu setzen, der solte lassen das abendmal Christi malen.“[20] Und neben anderen Tafeln aus der Werkstatt Cranachs, die Szenen der Passion Christi und des Jüngsten Gerichts zeigten, befand sich gegenüber der Kanzel eine höchst ungewöhnliche Darstellung, die Elia und die Baalspriester zeigte. Daß hier wahrer und falscher Kult gegenübergestellt werden sollten, hat Luther selbst zum Ausdruck gebracht: „In templo Torgensi iuxta ambonem est depictus in tabula verus cultus et invocatio Eliae et falsus Baalistarum cultus et clamor“ (In der Torgauer Kirche ist bei der Kanzel auf einer Tafel der wahre Kult und die Anrufung (Gottes) durch Elias und der falsche Kult der Baalsprieser und (ihr) Geschrei gemalt).[21] Wenn die Kanzel Reliefs mit Christus und der Ehebrecherin, dem zwölfjährigen Jesus im Tempel und der Austreibung aus dem Tempel zeigt, dann sind das zwar nicht Arbeiten Cranachs, aber sie werfen doch ein Licht auf das Verständnis dieser auch bei Cranach begegnenden Szenen.
Schließlich hat Cranach noch eine programmatische Komposition geschaffen, und zwar auf dem Altarretabel der Wittenberger Stadtkirche von 1547: die Heilsmittel, Wort und Sakrament. Dahinter steht die ältere Tradition der Sieben-Sakraments-Bilder. Entsprechend Luthers Reduktion in „De captivitate Babylonica ecclesiae praeludium“ 1520 und im Katechismus ist nur das Wort und von den Sakramenten Taufe, Abendmahl und das Lehrstück von der Beichte übriggeblieben. Die Mitte ist Christus selbst, der das Abendmahl mit den Jüngern hält, aber sonst sind die Reformatoren die Tätigen: Melanchthon tauft, Bugenhagen löst und verstößt und Luther predigt. Damit ist das gültige Handeln der Kirche im Auftrage Christi ausgesagt. Dieses Schema hat auf verschiedene Kompositionen der späteren Zeit eingewirkt.

Abschluß

Am Schluß soll hier das Retabel auf dem Altar der Stadtkirche zu Weimar stehen (Abb. 8). Es ist mit der Schlange signiert und mit der Jahreszahl 1555 versehen. Damals war Lucas Cranach d. Ä. bereits verstorben. Die letzten Jahre waren stürmisch verlaufen. Luther war 1546 gestorben. Im Schmalkal-

(Abb. 8) Lucas Cranach d. J.(?), Altarbild der Stadtkirche Weimar, 1555

dischen Krieg hatten die Kaiserlichen 1547 die Evangelischen geschlagen, Wittenberg eingenommen, und den Kurfürsten gefangengenommen. Damit endete auch zunächst die Tätigkeit Cranachs als Hofmaler. Johann Friedrich verlor auch die Kurwürde mit dem Kurkreis und mußte nach seiner Freilassung seinen Sitz nach Weimar verlegen, wo er am 26. 9. 1552 einzieht. Cranach begleitete ihn in der Gefangenschaft, ging mit nach Weimar, und ist hier auch am 16. 10. 1553 verstorben. Ob er, sozusagen immer noch als Hofmaler, am Weimarer Altar beteiligt war, und wie weit diesen der Sohn gemalt hat, der 1552/53 wegen der Pest in Wittenberg kurz in Weimar weilte, ist kaum auszumachen. Aber dieser Altar wirkt noch einmal wie eine Zusammenfassung auch des Wirkens von Lucas Cranach d. Ä.

Die Thematik ist dreischichtig. Cranach hatte sich bemüht, lutherische Lehre ins Bild umzusetzen, besonders im Schema von Sünde und Gnade. Dies ist auch das Thema des Retabels, wobei die zentrale Stellung des Gekreuzigten in der lutherischen Theologie nun auch das Thema der Erlösung durch den mittleren Kruzifixus strukturiert. Das zweite Thema sind die Bekenner. Auf den Flügeln ist Johann Friedrich mit seiner Familie dargestellt. Beigegeben ist die abgekürzte Devise „Verbum Domini Manet In Aeternum“ (Das Wort Gottes bleibt in Ewigkeit). Das beigegebene Wappen formuliert immer noch den Anspruch auf die Kurwürde. Die herzögliche Familie bekennt sich zum Evangelium, zum Heilsgeschehen, aber eben nicht an sich, sondern so, wie es die Reformation neu ans Licht gebracht hatte. Damit ist der dritte Themenkreis bezeichnet. Auf anderen Werken findet sich oft die Zusammenstellung geistlicher und weltlicher Reformatoren. Hier sind die weltlichen Reformatoren, die Landesfürsten, die die praktische Durchführung der Reformation in ihre Hände genommen hatten, als Bekenner dargestellt. Von den geistlichen Reformatoren ist nur Luther übriggeblieben. Wie Johannes der Täufer bezeugt er die Vergebung der Sünden. Christus ist das Lamm, das die Sünde trägt und durch sein Blut die Sünder reinwäscht. Genau dies ist illustriert, indem der Sünder der früheren Versionen jetzt Porträtzüge erhalten hat: die des Lucas Cranach, den jetzt der Blutstrahl aus der Seite des Gekreuzigten trifft. Ein Doppeltes ist damit erreicht. Das Portät des Malers ist an markanter Stelle eingebracht. Er steht neben Luther im Bekenntnis zum Evangelium. Aber er ist doch als der Sünder gekennzeichnet. Anders hätte er auch gar nicht diese Stelle auf einem offiziellen Denkmal des Herzogshauses einnehmen können. Mag es die Aussage des Sohnes sein, mag er selber noch an der Konzeption und Ausführung beteiligt gewesen sein: Er ist als derjenige dargestellt, der dem Herzogshaus verbunden gewesen ist, der Luther verbunden war, aber eben nicht nur in freundschaftlicher Weise, sondern im Glauben an das Evangelium, als durch Christus geretteter Sünder.

Anmerkungen

[1] Der begrenzte Raum erlaubte nur eine Wiedergabe des Vortrags mit den wichtigsten Zitatnachweisen. Eine ausführlichere Fassung hoffe ich andernorts bieten zu können. Von der Literatur nenne ich hier nur H. Grisar SJ, und F. Heege SJ, Luthers Kampfbilder I-IV, Freiburg Br. 1921-1923; M. J. Friedländer und J. Rosenberg, Die Gemälde von Lucas Cranach, Berlin 1932, 2. Aufl. (hrsg v. J. Rosenberg u. G. Schwartz) Basel-Boston-Stuttgart 1979; O. Thulin, Cranach-Altäre der Reformation, Berlin 1955; J. Rosenberg, Die Zeichnungen Lucas Cranachs d. Ä., Berlin 1960; 1472-1553. Lucas Cranach d. Ä. Das gesamte graphische Werk, Einleitung J. Jahn, München und Berlin 1972; W. Schade, Die Malerfamilie Cranach, Dresden 1974; D. Koepplin u. T. Falk, Lukas Cranach. Gemälde, Zeichnungen, Druckgraphik (Katalog der Ausstellung Basel 1974), 2 Bde., Basel-Stuttgart 1974.1976; Kunst der Reformationszeit. Ausstellungskatalog Altes Museum (Ost-)Berlin 1983, Berlin 1983; Martin Luther und die Reformation in Deutschland. Ausstellungskatalog Germanisches Nationalmuseum Nürnberg 1983, Nürnberg 1983; Luther und die Folgen für die Kunst, hrsg. v. W. Hofmann. Ausstellungskatalog Hamburger Kunsthalle 1984, München 1983; Lucas Cranach. Ein Maler-Unternehmer aus Franken. Ausstellungskatalog Festung Rosenberg, Kronach 1994. Hrsg. v. Cl. Grimm, J. Erichsen, E. Brockhoff (Veröff. zur bayerischen Geschichte und Kultur 26/94), Augsburg 1994.

[2] WA Briefe 2, S. 305f.

[3] WA Tischreden 4, Nr. 4787.

[4] WA 18, S. 80: „Nu begeren wyr doch nicht mehr, denn das man uns eyn crucifix odder heiligen bilde lasse zum ansehen, zum zeugnis, zum gedechtnis, zum zeychen ...“ und„... eyn crucifix odder Marien bilde ...“.

[5] WA 10,2, S. 458f.

[6] Wenn gerühmt wird, wie täuschend ähnlich Cranach gemalt habe, dann handelt es sich um ein Zeitideal, das mit antiken Künstleranekdoten illustriert wird. In der mit solchen adaptierten Anekdoten gefüllten Lobrede Scheurls von 1508 ist die schönste die folgende: Cranach habe auf der Coburg Hirschgeweihe so wirklichkeitsgetreu an die Wand gemalt, daß die Vögel herbeiflogen, um sich draufzusetzen, aber – weil da nichts war – zu Boden fielen.

[7] Genauer: Barbara verehrt das Christkind, Katharina ist in der geläufigen Szene der mystischen Verlobung dargestellt: Das Kind steckt ihr den Ring an.

[8] Karlstadt schreibt unter dem 14. 1. 1519 an Spalatin: „Caeterum currum, qui officinam ob impedimenta celeberrimi nostri pictoris nondum est ingressus, quam cito excusus redierit, mittam.“ (Im übrigen werde ich den „Wagen“, der wegen der Behinderungen unseres sehr berühmten Malers noch nicht in die Werkstatt gekommen ist, sobald er geschnitten zurückkommt, schicken). (Olearius, S. 56).

[9] Karlstadt sendet am 20. 3. 1519 Exemplare an Spalatin, mit der Bitte, sie weiter zu versenden. Dann fährt er fort: „Vulgaris currus non potest excudi, quod minor est typi capacitas, quam quae tot sententias recipiat.“ (Der volkssprachliche „Wagen“ kann nicht geschnitten werden, weil die Zahl der Typen kleiner ist, als daß sie so viele Sätze aufnehmen könnte). (Olearius, S. 45).

[10] Karlstadt, Außlegung und Lewterung etzlicher heyligenn geschrifften, so dem Menschen dienstlich und erschließlich seint zu Christlichem leben. Kurtzlich berürt und angetzeichet in den figurn und schrifften der wagen insonderheit des creutzes, zu welchem unser goth und herr, den menschen berufft, 1519.

[11] Luther schreibt unter dem 13. 4. 1519 an Joh. Lang (WA Br 1, Nr. 167,62-68): „Mitto currum Carlstadinum, qui moriam fingit theologorum, et in quem mirabile grassantur Lipsiae; alius in suggestu publicitus dilacerat manibus, alius adolescentulos in confessione explorat, num riserint de curru aut Martini opuscula tenuerint; confessos male mulctant, ut mihi scribit Andreas Camitzianus. Vide tenebras, vide insanias; theologi hi sunt.“ (Ich schicke Karl-

stadts „Wagen", der die Torheit der Theologen darstellt, und gegen den sie auf seltsame Weise in Leipzig losgehen. Einer zerreißt ihn öffentlich auf der Kanzel mit den Händen, ein anderer fragt die Jungen in der Beichte, ob sie über den Wagen gelacht hätten oder ob sie Werke von Luther hätten, denen, die es gestehen, spielen sie übel mit, wie mir Andreas von Kamenz schreibt. Was für Finsternis, was für Dummheit! Und das sind Theologen!).

12 Karlstadt schreibt am 14. 1. 1519 an Spalatin über die impedimenta celeberrimi nostri Pictoris, also offenbar über die Schwierigkeiten, die Cranach hatte, die Unmenge von Texten mit einer Bildkomposition in Einklang zu bringen.

13 WA Br 2, Nr. 385, 23f.

14 WA Briefe 2, Nr. 413, 23f.

15 Luther hat Spalatin aufgefordert, doch Edelsteine vom Hof oder von anderen für die Klärung der Steine in Apoc 21 nach Name und Farbe zu besorgen (30. 3. 1522: WA Br 2, Nr. 470,13-15), und dies noch zweimal wiederholt (10. 5. u. 15. 5. 1522: ebd. Nr. 499,6f; 490,39). Um den 17. 5. sollen sie schon zurückgegeben sein: „Gemmae quoque vel redierunt, vel Lucas, qui habet, referet." (Die Gemmen sind auch zurückgegangen, oder Cranach, der sie hat, wird sie zurückgeben, WA Br 2, Nr. 492,8). Aber noch ungefähr am 5. 6. betont Luther erneut, er habe die Gemmen von Cranach erhalten und sie diesem zurückgegeben („Gemmas redditas scito Lucae pictori, und accepi" WA Br 2, Nr. 507, 8f). Cranach war also der Vermittler.

16 C. Spangenberg, Adelsspiegel. etc. Schmalkalden 1591, 1 Kap. 4..

17 Passionszyklen pflegten mindestens mit der Auferstehung zu enden, weitere Herrlichkeitsszenen konnten angefügt werden. Das ist hier gemeint.

18 WA 33, S. 495-510.

19 Solche Art der Zusammenarbeit ist wohl auch gemeint, wenn Melanchthon später (3./4. 10. (fälschlich 20. 9.) 1543) an Johann Stigel schreibt: „Venit mihi in mentem pictoris Lucae, cui interdum praeformatas imagines tradere solebam in Bibliis." Da Cranach außer der Apocalypse von 1522 keine Bibelillustrationen geliefert hat, muß der Sinn wohl allgemeiner gefaßt werden: „Mir kommt das (fehlt ein Wort) des Malers Lucas in den Sinn, dem ich manchmal vorgeformte Bilder für biblische Themen zu übergeben pflegte". Corpus Reformatorum V,557 Nr. 3099.

20 Der ganze Passus lautet: „Wer hie lust hette, tafeln auff den altar lassen zu setzen, der solte lassen das abendmal Christi malen und diese zween vers „Der Gnedige und Barmhertziger Herr hat ein gedechtnis seiner wunder gestifft" mit grossen gülden buchstaben umbher schreiben, das sie fur den augen da stunden, damit das hertz dran gedecht, ja auch die augen mit dem lesen, gott loben und dancken müsten. Denn weil der altar dazu geordent ist, das man das Sacrament drauff handeln solle, So kündte man kein besser gemelde dran machen, Die andern bilde von Gott oder Christo mügen wol sonst an andern orten gemalet stehen." WA 31,1, S. 415, 23-31.

21 WA Ti 5, Nr. 6396; es folgt ein längeres Gedicht in deutscher Sprache auf die Einweihung, das dem Bilde beigegeben war.

„Deutschlands Prophet, Seher und Vater“
Johann Agricola und Martin Luther

Von Ernst Koch

Als ich neulich im Freundeskreis vom Verhältnis zwischen Martin Luther und Johann Agricola erzählte, erinnerte einer der Freunde an einen Vortrag, den Thomas Mann 1942 über seinen Roman „Joseph und seine Brüder“ gehalten hat. Thomas Mann skizziert dort die Theologie seines Romans: eine Art Bundestheologie, die aus dem Gedanken eines „Angewiesenseins Gottes auf den Menschen“ abgeleitet ist, „das sich mit dem des Menschen auf Gott zu gemeinsamem Höherstreben verschränkt“. Religiosität besteht für Thomas Mann aus Aufmerksamkeit und Gehorsam: aus Aufmerksamkeit „auf innere Veränderungen der Welt“, aus Gehorsam, „der nicht säumt, Leben und Wirklichkeit diesen Veränderungen, diesem Wechsel anzupassen und so dem Geiste gerecht zu werden“. Sünde hieße dann, „gegen den Geist leben, aus Unaufmerksamkeit und Ungehorsam am Veralteten, Rückständigen festhalten“. Die Besorgnis, daß es so zugehen könnte, nennt Thomas Mann „Gottessorge“, die Sorglosigkeit in diesem Bereich „Gottesdummheit“. „Ein Gottesdummkopf ist Laban, der noch glaubt, sein Söhnchen schlachten und im Fundament seines Hauses beisetzen zu sollen, was einmal ganz segensreich war, aber aufgehört hat, es zu sein. Das eigentliche und ursprüngliche Opfer war Menschenopfer. Wann kam der Augenblick, wo es zum Greuel und zur Dummheit wurde? Die Genesis hält ihn fest, diesen Augenblick, im Bilde des verwehrten Isaak-Opfers, die Substituierung des Tieres. Hier löst sich ein in Gott fortgeschrittener Mensch von überständigem Brauch, von dem, worüber Gott mit uns hinaus will und schon hinaus ist. Frömmigkeit ist eine Art der Klugheit, sie ist Gottesklugheit“.[1]

So verlockend es auch wäre, Thomas Mann und dem auch politischen Kontext seines Vortrags von 1942 nachzugehen – es würde vielleicht einmünden in den Entwurf einer Darstellung des Verhältnisses zwischen Thomas Mann und Karl Barth oder Dietrich Bonhoeffer. Das aber ist heute nicht das Thema. Ich habe die Erinnerung meines Freundes aber nicht umsonst aufgenommen und möchte Ihnen zunächst Luthers Freund Johann Agricola etwas vorstellen, dann von ihren Kontakten berichten und schließlich vom Konflikt, der zum Bruch zwischen ihnen führte.

Johann Agricola, 16. Jh.

1. Erste Begegnung und Grundlegung der Freundschaft

Als Johann Agricola[2] Martin Luther begegnete, stand er in der ersten Hälfte seines dritten Lebensjahrzehnts – er mag etwa 22 Jahre alt und damit 10 Jahre jünger als Luther gewesen sein. Ganz genau läßt sich das nicht sagen, da es unterschiedliche Angaben zu seinem Geburtsjahr gibt. In Frage kommen dafür die Jahre 1492 oder 1494, vielleicht auch 1495. Sein Geburtsort war Eisleben, weshalb er später oft Johann Eisleben oder Magister Islebius genannt wurde. Wer „der Eisleben“ war, wußte in Wittenberg seit den 20er Jahren des 16. Jahrhunderts jedermann. Natürlich war der Name Agricola eine Latinisierung nach humanistischer Gewohnheit. Übersetzt man ihn zurück ins Deutsche, wäre eigentlich zu erwarten, daß sein Familienname Bauer gewesen wäre. So hat Agricola sich gelegentlich später auch selbst genannt. Magister Eisleben wird dort, wo sein deutschspachiger Familienname genannt wird, aber „Schneyder“, „Sneider“ oder „Schnitter“ gerufen. Dann also wird dieser Name nicht als die Berufsbezeichnung eines Handwerkers verstanden, der Kleidung produziert, sondern als Tätigkeit eines Getreide- oder Grasmähers, eines Schnitters also.

Agricola hat einen Teil seiner Schulzeit in Braunschweig verbracht. Es liegt nahe anzunehmen, daß er seine Bekanntschaft mit Thomas Müntzer in dieser Stadt geschlossen hat, und vielleicht war auch er wie Müntzer Lehrer in Braunschweig. Als Studienort vor seiner Wittenberger Zeit kennen wir Leipzig. Er hat selbst erzählt, daß er in Braunschweig Beziehungen – vielleicht Beziehungen seelsorgerlicher Art – zu den dortigen Franziskanern gehabt hat, ähnlich wie Thomas Müntzer.

In einer Predigt, gehalten in den letzten Lebensjahren, hat Agricola von seiner ersten Begegnung mit Martin Luther berichtet, die sich möglicherweise auf eine Woche genau datieren läßt, die Woche nach dem 9. März 1516. Agricola ist Luther erstmals nicht als akademischem Lehrer begegnet, sondern als Beichtvater – dies festzustellen ist wichtig. Grundlage ihrer Freundschaft war nicht das gemeinsame Interesse an wie auch immer gearteter humanistischer Bibelauslegung, sondern das Vertrauensverhältnis einer seelsorgerlichen Beziehung, aus der dann offenbar ein Funke übersprang, der für die Beschäftigung Agricolas mit biblischen Texten und der Theologie entscheidend wurde. Er hat jene Begegnung in der Passionswoche 1516, die im Anschluß an eine Frühpredigt Luthers stattfand, dann auch als Bekehrung beschrieben. „Von jener Stunde an begann ich mit größtem Beifall in der Barmherzigkeit des Herrn sanft zu ruhen und ruhe noch jetzt [in ihr] und werde in Ewigkeit nicht wanken. So bin ich auch dem Gesetz durch das Gesetz gestorben und habe Christus gelebt, ich bin der Welt und der Sünde tot, so daß es mir... ein kleines ist, von einem Menschen oder von einem menschlichen Tage gerichtet zu werden. Denn ich habe Geduld gelernt, nicht um sie zu kennen, sondern um sie zu leben, und Gott bewirkt durch mich Elenden Erbarmenstiftendes..., weil ein fröhliches Gewissen beständige Freude ist“.[3]

Nicht alle Einzelheiten von Agricolas Bericht aus der Spätzeit seines Lebens dürfen auf die Goldwaage gelegt werden. Sicherlich haben sich in ihm spätere Erinnerungen mit den ursprünglichen vermischt. Es wird aber zutreffen, was er über die Zeit vor seiner Begegnung mit Luther berichtet: „Ich bin mit einem bösen Gewissen von Jugend auf gemartert gewesen und in die Klöster und Kartheuser gelaufen, aber wenig Trostes gefunden, bis zu Braunschweig ein Barfüßermönch ein klein Lichtlein ansteckte 1514. Es mußte anders werden, der Menschen Genugtuung wurden es nicht ausmachen“.[4] In diesem Bericht taucht also wie auch in anderen zeitgenössischen reformatorischen Bekehrungsberichten jener vorreformatorische Interpret des Evangeliums auf, der eben Zeuge der Wahrheit vor dem Durchbruch der Wahrheit ist und den Zusammenhang zwischen Zuvor und Danach bezeugt.

Für Agricola selbst ist hinzuzufügen, daß er bei Luther eine neue Auslegung der Passion Christi kennengelernt hat. Das Leiden Christi am Kreuz ist nicht als Anklage zu verstehen, sondern als Weg zur Buße, der zum vom Glaubenden erfahrenen Trost wird, wenn aus dem Schmerz über die Passion Christi die Freude im Heiligen Geist erwächst. So hat Luther die Betrachtung des Leidens Christi in der Zeit verstanden, als Agricola ihm erstmals begegnet ist, und so hat Agricola es für sich bis an sein Lebensende festgehalten. Es kommt auf die geistliche Erfahrung an, die immer wieder den gleichen Weg zurücklegt: Der Schrecken über die Passion Christi setzt den Menschen, der von ihr hört, unter Druck, und er fängt an zu klagen und zu seufzen; dies aber ist bereits der Beginn der Wende zum Neuen, zur Wiedergeburt. Was Agricola an diesem Weg interessiert, ist der als Erfahrung deutliche beschreibbare innere Vorgang, die wiederholt begehbare Wiedergeburt. Daß diese Erfahrung ihre Tücken und Unwägbarkeiten hatte, davon wird noch zu sprechen sein.

2. Vertrautheit und erster Konflikt

Johann Agricola blieb zunächst in Wittenberg. Er blieb sozusagen in Wittenberg hängen, weil ihm Hilfe zuteil geworden war, die er als grundlegend empfand. Martin Luther, sein Beichtvater, hatte ihm ein Tor geöffnet, das schon da war, das er aber nicht wahrgenommen hatte. In dem Raum, den er betreten hatte, gab es noch sehr viel zu entdecken, und das gelang am besten in Luthers Nähe, im Gespräch mit ihm und unter seiner Anleitung. Agricola wurde auch Luthers Ministrant, wenn er die Messe feierte.[5]

Das Vertrauen, das Agricola zu Luther entwickelt hatte, beruhte auf Gegenseitigkeit: Auch Luther überließ Agricola viel. Agricola schrieb Predigten des verehrten Freundes nach, der ihm gelegentlich die nachgeschriebenen Texte zur Veröffentlichung überließ. So etwa geschah es mit den Predigten über das Vaterunser aus dem Jahre 1517.[6]

Agricola wurde Zeuge und Beteiligter an für die Reformationsbewegung wichtigen Schaltstellen. Luther nahm ihn vom 27. Juni bis 16. Juli 1519 als Sekretär mit zur Leipziger Disputation, bei Luthers Appellation an ein Konzil fungierte er am 17. November 1520 als öffentlicher Notar heiliger apostolischer Autorität und siegelte die Urkunde und schaltete sich alsbald in die Polemik gegenüber Luthers Gegnern ein. Am Morgen des 10. Dezember 1520 bemühte er sich – vergeblich – darum, von den Wittenberger Theologen zwei der großen theologischen Lehrbücher des hohen Mittelalters, die Summa des Thoas von Aquin und den Sentenzenkommentar des Duns Scotus zu bekommen, um sie zusammen mit mehreren Ausgaben des Kanonischen Rechts und einem mittelalterlichen Beichthandbuch zu verbrennen. Das Feuer auf dem Schindanger vor dem Elstertor wurde wohl von s e i n e r Hand entzündet. Als er im Oktober 1522 Luther auf der Reise nach Weimar und Erfurt begleitete, wurde er dort Ohrenzeuge der ersten öffentlichen Entfaltung der Zwei-Regimenten-Lehre durch Luther. Nirgendwo ist in dieser Zeit eine Spur nachlassenden Vertrauens zwischen den beiden Freunden erkennbar. Im Gegenteil: Agricola wurde in die Routine des akademischen Lehrbetriebs wie selbstverständlich eingebunden und bekam je nach Notwendigkeit die Vertretung der Exegeten übertragen, sofern sie für eine Vorlesung ausfielen. Hinzu kam die Jugendunterweisung an der Stadtkirche, die ihm über Jahre hin oblag – angesichts des Mangels an Personal bei der Stadtgeistlichkeit war er an dieser Stelle hoch willkommen.

In einem Brief an Agricola vom Mai 1521 von der Wartburg äußerte Luther sich etwas besorgt darüber, was wohl sein Entweichen auf die Wartburg für Folgen für sein Verhältnis zu dem Freunde und den Witteübergern überhaupt haben könnte: Es könne ja sein, daß „durch mein Weichen zugleich die Gemeinschaft unter den Freunden gewichen wäre, was Gott verhüte".[7] Was Agricola anging, so war durchaus nicht ausgemacht, wohin sich sein Weg einmal wenden würde. Während der Abwesenheit Luthers wandte er sich zunächst einmal der Medizin zu. Es bedurfte nach zwei Jahren des gemeinsamen Einsatzes seiner Frau Else geb. Moshauer, des Justus Jonas und des kurfürstlichen Rates Kaspar von Teutleben, Agricola davon zu überzeugen, daß sein Weg dann doch die Theologie sein werde. Den Ausschlag dabei scheint Luthers Intervention gegeben zu haben. Agricola ist jedoch nie ordiniert worden.

Mit dem Amtsantritt als Leiter der neu gegründeten Lateinschule in Eisleben im Sommer 1525 und als Prediger an St. Nicolai begann dann auch der intensive Briefwechsel zwischen Luther und Agricola. Die Lockerheit und Unbefangenheit, in der sie miteinander verkehrten, zeigte dann auch etwas von der gewohnten Vertrautheit gemeinsam verlebter Zeiten. „Wenn ich auch nichts habe, was ich dir schreiben könnte," so beginnt Luther in Anspielung an die Dunkelmännerbriefe dreimal einen Brief an Agricola, „so werde ich dir doch schreiben, daß es nichts gibt, was ich dir schreiben könnte".[8] Einfach nur die Gelegenheit, daß ein Bote in Richtung Mansfeld und den Harz aufbricht, nutzt Luther dazu, eine Nachricht mitzugeben und den Freund zum Schmunzeln zu bringen. Eine besondere Beziehung hatte Luther zu Agricolas Frau. Vielleicht schon in Ahnung der für ihn selbst im Anzug befindlichen Depression schrieb er ihr im Juni 1527 einen Trostbrief und betonte ein paar Wochen später dem Ehemann gegenüber: „Else ist krank am Gewissen. Deshalb widerrate ich einer Medizin für den Körper, ich ermahne zur Kraft des Gotteswortes. Denn so sind unsere Frauen: Sie glauben, das Wort betreffe sie nicht, sondern uns Männer als ihre Verteidiger und Beschützer... Den gleichen Kampf nämlich kämpfe ich mit meiner Käthe; sie sollen, wo doch endlich Umgang mit dem Wort geschieht, nicht meinen, ihnen habe es zu ihrem Nachteil gefehlt".[9]

Freilich: Es dauerte von diesem Brief an nur noch vier Wochen, bis sich ein erster Konflikt zusammenbraute. Er ging von Agricola aus, der mit einer ihm eigenen Wachheit und seismographischen Empfindsamkeit einen Vorgang wahrnahm, der ihn beunruhigte. Im Sommer des Jahres 1527 lagen nämlich erste umfangreiche Erfahrungen von einem Arbeitsfeld vor, das für den Fortgang der von Wittenberg ausgehenden Reformationsbewegung von entscheidender Bedeutung war. Eine aus Juristen und Theologen zusammengesetzte Kommission war – sozusagen als mobile Vorform des später ortsansässigen Konsistoriums – durch Ostthüringen und das Vogtland zu einer Bestandsaufnahme und zu ersten Regelungen von anstehenden Problemen unterwegs gewesen und brachte Eindrücke mit, die sich zu einem Gesamtbild formen ließen: Die Visitationen hatten begonnen. Zu der Ostthüringen und das Vogtland bereisenden Kommission hatte auch Philipp Melanchthon gehört. Er, der sprach- und sprechgewandte, im beweglich-bildungsfreudigen Milieu spätmittelalterlicher Städte Oberdeutschlands beheimatete Gelehrte, war bei den Verhandlungen, die zu führen waren, immer wieder einmal Dorf- und Kleinstadtbewohnern begegnet, denen der Umgang mit Papier, Gänseschreibfeder und gedruckten Büchern fremd war – tat doch selbst der Adel ihrer Wohngegenden alles, um den Schulbesuch seiner Söhne zu boykottieren. Die Visitatoren bemerkten immer wieder, wie schwer solche Leute argumentativer Sprache zugänglich waren, wenn es um Einstellungsänderungen ging, die von ihnen erwartet wurden, und Melanchthon konnte wohl das Beharrungsvermögen und die Unlust zu Veränderungen, deren Chancen nicht sofort einzusehen waren, schwer verstehen, die ihm in der bäuerlichen Mentalität begegnete. Mit dem Appell an die Chance des Vertrauens auf Gottes Zusage als Motiv zur Wandlung im Umgang mit sich und der Welt war da wohl wenig zu erreichen. Melanchthon zog daraus pädagogische Konsequenzen, die gleichzeitig theologische waren. In einem aus Thesen bestehenden Arbeitspapier zum internen Gebrauch bei Visitationen, das knapp einzelne Punkte auflistete, worauf künftig zu achten sei, notierte er unter anderem, Unbußfertige seien unter Berufung auf die Drohungen des göttlichen Gesetzes zur Buße zu treiben. Auf irgendeinem Wege war das Arbeitspapier in die Hände zweifelhafter Interessenten geraten, die es drucken ließen. Aber bereits bevor dies geschah, hatte eine handschriftliche Kopie Johann Agricola in Eisleben erreicht – der Informationsfluß zwischen Wittenberg und Eisleben war offenbar störungsfrei.

Agricola muß Melanchthons Satz von der Buße aufs schwerste getroffen haben. Ihm ging es nicht um formale oder dogmatisch begründete Rechthaberei. Leider sind die in dieser Zeit entscheidenden Briefe von seiner Hand nicht erhalten geblieben. Es läßt sich nur aus Antwortschreiben an ihn rekonstruieren, was ihn in Panik versetzt haben muß. Luther antwortete ihm am 31. August 1527, es sei richtig und gesund, was er ihm geschrieben habe, nämlich von der Freiheit der Gewissen. „So nämlich haben wir bisher gelehrt, daß ein Christ gehalten sei, sie zu bekennen, und wenn Gegner das Gegenteil erzwingen wollten, sie tapfer zu verteidigen, nämlich im Blick auf die Schwachen.“ Liege kein Druck oder Zwang vor, könne sie – sozusagen als Prinzip – auch einmal unterlassen werden, wie das Beispiel des Paulus zeige, der Timotheus beschneiden ließ, wobei es ja um eine Belehrung für die Juden ging; die Beschneidung des Titus hingegen duldete er nicht, weil es um Zwang ging, und Petrus tadelte er, weil er die Nichtjuden zwingen wollte, Juden zu werden. Weil denn die Gegner, die Tyrannen, als Papstknechte und Diener des Satans unsere Freiheit austilgen wollen, ist ihnen auch nicht einen Faden breit oder nur um einen Punkt auszuweichen. „Wenn du nur ein Jota des tyrannischen Gesetzes zuläßt, hast du den ganzen Christus verleugnet [...] Es ist nichts, auf Liebe zu drängen, um die Freiheit zu verletzen, denn wenn der Liebe das im Blick auf die Freiheit erlaubt werden wird, wird ihr das gleiche im Blick auf das ganze Evangelium erlaubt werden, und das versuchen die Tyrannen“. Luther schob einen deutschsprachigen Satz ein: „Wenn der Teufel einen Fingerbreit einreißt, so reißt ers ganz und gar umb“, und er fügt hinzu: „Das übrige hast du breit genug geschrieben und weiß es, das wollte ich dir als mein eigenes Zeugnis hinzufügen“.[10]

Dennoch: Aus Luthers Antwort an Agricola ist bisher nicht auszumachen, worum es dem Eislebener Schulmeister e i g e n t l i c h ging. Es hätte auch ein frisch ausgebrochener Konflikt mit Reformationsgegnern sein können, wie er sich sechs Jahre später in Eisleben wirklich zutrug. Allerdings bietet der nächste Absatz in Luthers Brief den Schlüssel: „Über unsere Visitatoren und ihre Anordnungen werden wir verhandeln, wenn Philippus da sein wird [...] Hab inzwischen Geduld und unterdrücke Diskussionen über diese Sache, damit dies nützliche Werk der Visitation nicht vor der Zeit und vor der Verhandlung in seinem Lauf gehindert werde. Christus wird geben, daß alles recht geschieht. Welt und Vernunft begreifen nicht, was das für eine schwierige Einsicht ist, daß Christus unsre Gerechtigkeit ist, so eingeleibt, angeboren und in unsre Natur eingepflanzt ist die Meinung über die Werke“.[11]

Johann Agricola muß sich von Luther verstanden gefühlt haben. Jawohl: So war Luther! So kannte er ihn! Ganz genau so bis in die Wortwahl hinein! Es war wie in alten Zeiten, wie eh und je. Melanchthon war eben doch anders als er.

Hatte der große Freund den Eislebener Schulmeister wirklich verstanden? Wir wissen aus ganz sicheren Äußerungen Agricolas ein paar Wochen später, aus dem Spätherbst 1527, woran er bei Melanchthon eigentlich Anstoß genommen hatte. Agricola konnte dem nicht zustimmen: Die Umkehr habe ihre Wurzel dort, wo Gottes G e s e t z das Gewissen trifft. Ihm müssen schreckliche Erinnerungen an seine Zeit vor der Begegnung mit Luther wieder aufgestiegen sein: der Druck, den der Umgang mit den 10 Geboten auf ihn ausgeübt hatte. „Ich habe von Jugend auf ein bös, verzagt und erschrocken Herz und Gewissen gehabt, daß ich auch jung, wo ich in die Schule bin gegangen, in die Klöster und Katausen gelaufen bin und Trost holen wollen [...] Nachdem ich von Jugend auf leider mit betrübtem und bedrängtem Gewissen beschwert gewesen bin, habe ich bei Beichtvätern des Ablasses, deren die Zeit viele in deutsche Lande kamen, Hilfe und Trost gesucht, aber nie keinen gefunden“.[12] So hat Agricola selbst später erzählt. Das heißt ja doch wohl, daß er zu den nicht gar so seltenen, spätmittelalterlichen Christen gehört haben muß, die durch ihre Frömmigkeitspraxis oder gar durch ihr Frömmigkeitstraining für Anforderungen Gottes hoch sensibilisiert und sich selber ausgeliefert waren, wenn ihnen Worte des göttlichen „Du sollst“ begegneten. Ich möchte diesen Stil, christlichen Glauben zu leben, nicht einfach mit dem Etikett „Skrupulantentum“ versehen, sondern finde in ihm ein Gottesbild wieder, das sich wohl in manchen Partien biblischer Texte findet, dann aber zum Auslegungsprinzip der ganzen Bibel geworden ist. Und in der Tat: Woran Johann Agricola bei Melanchthons Arbeitspapier Anstoß genommen hat, war das „Muß“, das er bei ihm hörte und das ihn überfiel wie ein Ungeheuer auf einem einsamen Weg.

Die Frage, ob Luther seinen Freund wirklich verstanden hat, braucht wohl eine zweifache Antwort. Ganz sicher hat er den aufs tiefste erschrockenen Freund verstanden, wie er ihn seit nunmehr gut 11 Jahren kannte, und er wird sich auch selber nicht nur in den Anfechtungen des Gewissens wiedererkannt haben, die bei Agricola erneut aufstiegen, sondern auch in der theologischen Alternative, die der Eislebener Schulmeister in die Diskussion einbringen wollte: Wahre Buße beginnt in der Liebe Christi und zu Christus, die der Glaubende spürt, wenn er das Leiden Christi betrachtet und davon angerührt wird. Das Gesetz Gottes hat seine Rolle ausgespielt. So hatte es Luther 9 Jahre zuvor auch vertreten. Inzwischen argumentierte er selbst anders an dieser Stelle, ähnlich nämlich wie Melanchthon: daß Gottes Gesetz und Gottes freisprechendes Wort ständig gegenwärtig seien und daß das Gesetz verurteile und das Evangelium tröste und weiterführe. Und Luther – das sollte sich noch herausstellen – würde Melanchthon noch kritisieren, weil Melanchthon in der Vorschrift des Gesetzes Gottes sogleich auch die Möglichkeit sehen wollte, den ersten Schritt über den Konflikt hinaus zu gehen, den das Gesetz provozierte: Es sei ein erzieherischer Wert, daß uns gesagt wird, was wir nicht tun dürften und was wir tun sollten. Luther hingegen hatte erkannt, daß das Gesetz die Situation verschärfte, nur verschärfte. Darin fühlte er sich an Agricolas Seite. Das aber hieß für ihn nicht, daß das Problem gelöst sei, wenn versucht werden sollte, das Gesetz wegzudiskutieren oder wegzuargumentieren. Dazu war es für Luther zu nahe und zu lebendig, und seine Stimme war nicht zum Schweigen zu bringen.

Warum mag Luther seinen Freund Agricola an diesem Punkt nicht ganz wahrgenommen haben? Es mag unterschiedliche Ursachen dafür gegeben haben, aber darüber können wir auf weite Strecken hin nur Vermutungen anstellen. Die Gesprächs- und Diskussionslage um 1527 mag eine eigene Rolle gespielt haben. Das zu beachten ist wichtig, denn manchmal verkürzt unser Blick in die Vergangenheit die Perspektiven, weil wir die Fortsetzung gerade begonnener Wege sehen, so daß wir zusammenschauen, was für die Zeitgenossen weiter auseinander lag. Wohl hat Luther gesehen, daß sein Freund Agricola eine andere Position einnahm als er und Melanchthon, und er sprach von einem Wortgefecht,[13] konnte aber darauf vertrauen und darauf warten, daß die Differenzen sich einebnen und auflösen ließen, wie er es auch im Falle von Spannungen mit anderen seiner Freunde erwartete – man sprach ja miteinander, entdeckte beim Gesprächspartner Stärken und Gaben, die nicht die eigenen waren; dies wiederum gab Anlaß zu einem Vertrauensvorschuß, der Spielräume offen ließ.

Von späteren Äußerungen her ist mit Gewißheit eine weitere Ursache dafür auszumachen, daß Luther seinen Freund in der Kontroverse vom Spätsommer 1527 nur eingeschränkt wahrgenommen hat. Sie war in der uneingeschränkten Zuneigung zu Johann Agricola zu suchen, die er selbst wohl noch zusätzlich in Wochen und Monaten einer durch Depression gekennzeichneten Krise brauchte, einer Krise, mit der er in der zweiten Jahreshälfte zu kämpfen hatte. Zusätzliche Konflikte neben den bereits im Gange befindlichen – z. B. denen mit den Zürchern und mit Johannes Oekolampad in Basel, aber auch mit Kaspar von Schwenckfeld – wären jetzt Gift für ihn gewesen. Und so gab sich Luther Ende November 1527 auch theologisch mit einem Kompromiß zufrieden und schrieb Agricola 10 Monate später eine deutliche, freundliche Verwarnung.[14]

Dennoch mutet auch der begrenzte Konflikt von 1527 wie ein Vorspiel zu dem letzten großen Konflikt an, in den beide Freunde verwickelt wurden.

3. Definitiver Bruch

Ziemlich im Dunkel liegt für uns das Verhältnis zwischen Martin Luther und Johann Agricola in den reichlich drei Jahren zwischen der Schlußphase des Augsburger Reichstags im Spätsommer 1530 und der beginnenden Auseinandersetzung zwischen dem Eislebener Schulmeister und dem nach St. Andreas in Eisleben berufenen Priester und Prediger Georg Witzel im Herbst 1533. Für diese Zeitspanne ist kein Brief erhalten, der zwischen den beiden Freunden von Wittenberg nach Eisleben oder von Eisleben nach Wittenberg hin und her befördert worden wäre. Dies kann an nur teilweise erhaltener Überlieferung liegen, und obwohl die erwähnte Zeitspanne die längste ist, in der unmittelbare Kontakte zwischen Luther und Agricola nach unserer Erkenntnis fehlen, müssen daraus weitere Schlüsse nicht folgen.
Im Spätjahr 1536 entspannen sich dann jedoch erneut intensivere Kontakte zwischen Eisleben und Wittenberg, weil die Behandlung, die Agricola durch Graf Albrecht von Mansfeld erfuhr, sich unerquicklich entwickelt hatte. Er erstrebte zusammen mit seiner Frau und 9 Kindern einen Ortswechsel, am liebsten nach Wittenberg. Luther bot sich an, die vertraulichen Vorverhandlungen zwischen ihm und dem Kurfürsten in die Wege zu leiten. Der endgültige, fluchtartig plötzliche Aufbruch aus Eisleben am Abend des 19. Dezember 1536 entsprang dann aber einem sicherlich aus dringendem Wunsch gespeisten Mißverständnis. Luther hatte Agricola am Tag zuvor zu den Vorverhandlungen über die theologische Rechenschaft vor dem in Aussicht gestellten Konzil eingeladen, aus der später die sogenannten Schmalkaldischen Artikel wurden, und Magister Eisleben hatte diese Einladung als endgültige Einladung zu einer neuen Tätigkeit nach Wittenberg verstanden. Nun stand die elfköpfige Familie vor Käthes und Martins Haustür und wurde freundlich aufgenommen.
Luther hatte alsbald eine Aufgabe für Agricola: Er sollte ihn in Wittenberg bei Gottesdiensten und Vorlesungen vertreten, nachdem er selbst Ende Januar 1537 zur Tagung des Schmalkaldischen Bundes nach Schmalkalden aufgebrochen war. Als er im März nach Wittenberg zurückkehrte, fand er untrügliche Spuren dafür vor, daß der Freund auf ihm nicht verständliche Weise eigene Wege gegangen war, die sich als Fortsetzung der Wege der Zeit 10 Jahre zuvor erwiesen: Das Gesetz Gottes habe ausgespielt, seine Rolle, den Zorn Gottes zu offenbaren, habe das Kreuz Christi übernommen. So jedenfalls hatte sich Agricola in einer Predigt vor einer Zusammenkunft von Fürsten in Zeitz geäußert. Die Diskussionen der Wittenberger untereinander blieben zunächst im kleinen Kreis, und Luther stellte sich noch immer und noch für nahezu ein halbes Jahr vor seinen Freund und ließ ihn predigen, als Bugenha-

gen sich schon deutlich von ihm distanziert hatte. Erst als Ende Juni 1537 Agricola drei Predigten zum Druck brachte, die er gehalten hatte, nahm eine breitere Öffentlichkeit von dem Eigenweg Kenntnis, den er beschritten hatte. Nun konnte auch Luther ihn nicht mehr decken. Agricola, der inzwischen im Hause der Schwiegermutter Melanchthons wohnte, erfuhr davon und schrieb Luther am 2. September in einem Brief: „Nicht wenig bewegt meinen Sinn [...], daß ihr jetzt eure Meinung geändert habt". Habe doch Luther noch am 20. Mai, am Pfingstsonntag geäußert, das Schriftstück,das er ihm zum Lesen gegeben habe, „das sei nicht unrecht". „Ich für meine Person bin in dem ganzen Werk diesem einen gefolgt: Die Predigt vom Tode unseres Herrn Jesus Christus verschreckt und bedrückt Sinne und Gewissen der Menschen, das bedeutet: Sie lehrt die Buße. Hingegen: Die Predigt von der Auferstehung Christi richtet die durch den Tod Christi verschreckten Gewissen und bedrückten Sinne und Gewissen wieder auf, das bedeutet: Sie lehrt Vergebung der Sünden. Das ist die Lehre aller Apostel, vor allem aber des Paulus und Barnabas, das ist in Apostelgeschichte 2, bei der Bekehrung des Paulus und Apostelgeschichte 17 zu sehen. Es ist auch eure Lehre". Solle doch Justus Jonas die Sache entscheiden. „Ich bin mir keines verkehrten oder falschen Dogmas bewußt, Gott sei Dank!"[15]
Da war sie also wieder, die alte Überzeugung des jüngeren der beiden Freunde, er folge in dem, was er vom Kern des christlichen Glaubens lehre, nur seinem alten Freunde und geistlichen Vater. Der hingegen legte in zwei Predigten um die Monatswende September/Oktober 1537 seine Deutung des Verhältnisses von Gesetz und Evangelium dar und brachte damit den offenen Konflikt in die Öffentlichkeit der Stadt. Er war nun nicht mehr zu verbergen und beschäftigte bald auch den kurfürstlichen Hof.
Lange noch ging es hin und her zwischen den beiden Freunden. Einer Verständigung zwischen ihnen im Oktober 1537 folgte eine erneute abkühlende Kontroverse einen Monat später, im Dezember eine akademische Disputation über Thesen, die teils von Agricola, teils aus seiner Umgebung stammten, eine zweite Disputation am 12. Januar 1538, die eine Aussöhnung zwischen den beiden Streitpartnern brachte, nachdem Agricolas Frau bei Luther vorgesprochen hatte (Luther hatte sie einmal „fast meine liebe Tochter" genannt[16]). Immer wieder müssen Intriganten und Zuträger am Werk gewesen sein, Justus Jonas vor allem – falls nicht ganz entschlüsselbaren Andeutungen Agricolas zu glauben ist – und der Mansfelder Hofprediger Michael Coelius. So zerriß im Spätsommer und Frühherbst 1538 die 8 Monate zuvor mühsam geknüpfte Eintracht wieder, und Luther veröffentlichte im Januar 1539 ein eigenes Buch „Wider die Antinomer". Es ging ihm um die Ordnung der Theologie, in der nach Paulus Gottes Gesetz sachlich vor dem Evangelium steht und

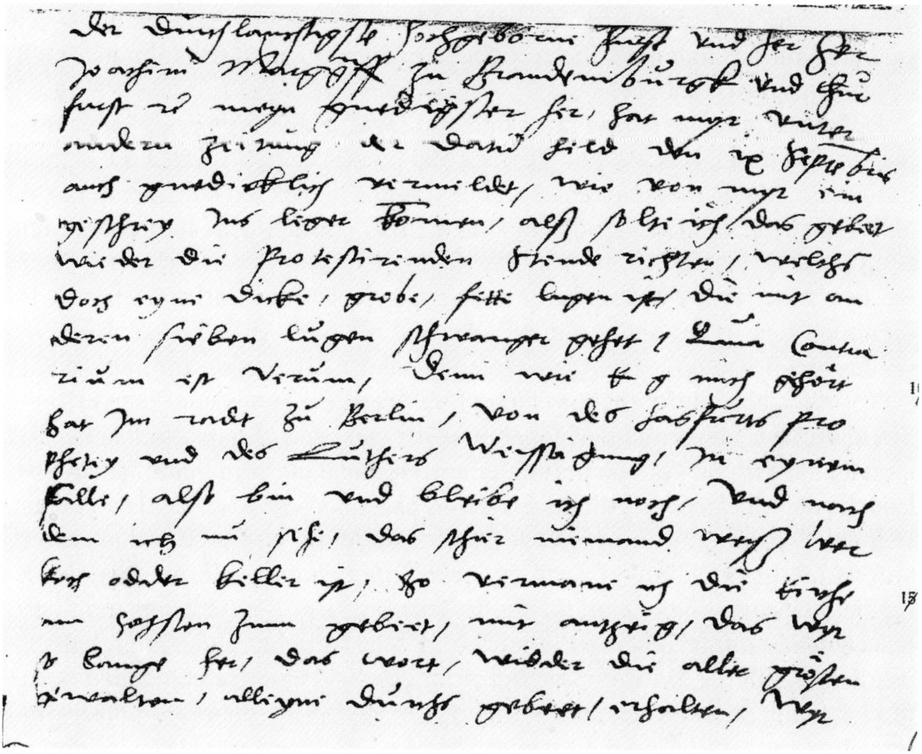

Johann Agricola, aus einem Brief an Adam Trott, 1546

das Evangelium sich nicht auf sich selber, sondern auf das Gesetz bezieht. Luther hielt den bisherigen Freund für einen Heuchler oder – wie er sich bei Tische einmal ausdrückte – für einen bunten Molch[17], d. h. ein Chamäleon, das die Farbe seines Aussehens je nach Umgebung ändert. So geriet Agricola ihm in eine Reihe mit Thomas Müntzer, den aufständischen Bauern, Karlstadt und den Leugnern der Trinität. Agricola wurde auf einen Posten des in Wittenberg neu eingerichteten Konsistoriums abgeschoben, und als er für die Wahl zum Dekan der Artistenfakultät nominiert wurde, verhinderte Luther seine Wahl.

Das alles mag sich so anhören wie die wütende Abrechnung einer verletzten Autorität mit einem Kritiker. Die Öffentlichkeit aber erfuhr auch andere Seiten dessen, was Luther in dieser Auseinandersetzung bewegte. „[...] er ist mein, der besten und nehesten Freunde einer gewest“, konnten die Leser dort erfahren, oder: „[...] Wolan es sei ihn vergeben, welche davon ablassen“.[18]

Noch Unmittelbareres konnten Luthers Tischgenossen vernehmen: „Ich habe

diesen Menschen für meinen treuesten Freund gehalten“, notierte einer aus Luthers Mund.[19] „Ich habe ihn so lieblich erzogen“.[20] „Ich habe ihn nach Philippus einzigartig geliebt“.[21]
„Wenn Agricola mit seiner Frau käme und sagte: Herr Doctor, ich hab genarret, vergebt mirs!, so wäre alle Zech richtig“.[22] „O, vergebe dirs Gott“, spricht Luther mit dem imaginär anwesenden Freund, „daß du so bitter bist und hältst mich für deinen Feind! Gott sei Zeuge, daß ich dich lieb gehabt und noch liebe“.[23]
Bevor ich der Frage nachgehe, wie denn Agricola über Luther während des Konflikts und in der Folgezeit gedacht hat, sei noch vollends der Fortgang der Ereignisse geschildert. Agricola mußte zu der Erkenntnis kommen, daß er sich Luther gegenüber nicht verständlich machen konnte, und entwarf eine Strategie sich steigernder Maßnahmen. Er beklagte sich zunächst bei der Universität Wittenberg und bei Johannes Bugenhagen, dem Stadtpfarrer, über Luther, dann bei der Mansfelder Geistlichkeit und der Gemeinde Eisleben, schließlich beim Kurfürsten, dem er auch mitteilte, er werde sich, sollte er nicht öffentlich rehabilitiert werden, gezielt in mehreren Schritten an die Öffentlichkeit und die Gelehrten Europas wenden. Der Kurfürst reagierte nach einer gezielten Intervention Luthers so, daß er Agricola eine Aufenthaltsbeschränkung für die Stadt Wittenberg auferlegte und eine Untersuchung gegen ihn begann. Der Angeklagte sah ein, daß er nur verlieren konnte und damit seine und seiner Familie Existenz riskierte. Luther versuchte, in seinem Hause mit ihm zu reden, er aber war trotz Luthers Voranmeldung nicht zu Hause, und Frau Else wußte nicht, wohin er gegangen war.[24] Der Angeklagte verließ Mitte August 1540 heimlich die Stadt und wurde Hofprediger bei Kurfürst Joachim II. von Brandenburg. Nie mehr sind sich die miteinander zerfallenen Freunde wieder persönlich begegnet. Der Versuch des neuen Brotherrn Agricolas, nach der 1541 erfolgten offiziellen Aussöhnung zwischen beiden mittels eines gedruckten Widerrufs des neuen Hofpredigers 1545 eine solche Begegnung, durch einen politisch-diplomatischen Auftrag an ihn kaschiert, zu stiften, mißlang – Luther empfing lediglich Frau Else in seinem Hause und ließ den Ehemann vor der Tür.
Es gibt deutliche Anzeichen dafür, daß Agricola Luthers Haltung bis an sein eigenes Lebensende nicht verstanden hat. Im Gegenteil: Er konnte seine Luther gegenüber durchgehaltene Hochschätzung einfach nicht in Beziehung zu den Bitternissen setzen, die er durch Luther erfahren hatte. Seine Hochschätzung endete keineswegs mit den Jahren 1540/41, und sie darf auch nicht als eigennützige oder diplomatische Schlauheit verstanden werden. Auch im Dezember 1536 war ehrlich gemeint, was er Luther im Zusammenhang des Weggangs aus Eisleben schrieb: „Von deinem Willen hänge ich ab und werde

ich immer abhängen".[25] „Pater amantissimus", „höchst geliebter Vater" redet Agricola Luther wiederholt in Briefen an.[26] Dem Kurfürsten Johann Friedrich gegenüber spricht er in der Hochspannung des Frühjahrs 1540 davon, Luther sei „mein Vater an Gottes statt [...], durch welchen ich auch ein Christe und Gottes kind worden bin", um unmittelbar danach zu klagen: „So habe ich nun in das dritte Jahr mit Füßen lassen uber mich her gehen, bin ihm auch nachgekrochen wie ein armes Hundelin". Dies aber – so meinte Agricola – sei die Wirkung des Einflusses anderer Wittenberger Kollegen auf Luther gewesen, von denen er Melanchthon ausdrücklich ausnahm.[27] Lediglich dort, wo er sich sozusagen ohne Blick auf ein Publikum sein Leid von der Seele schrieb, nannte er Luther gelegentlich perfide, lügnerisch und unbußfertig[28], was aber nicht Absage an ihn bedeutete. Der Brief, den Agricola im Februar 1546 an Andreas Friedrich, einen Eislebener Freund schrieb, spricht eine eindrückliche und bewegende Sprache: „Mit großem Schmerz, der nur wenig von höchstem Schmerz entfernt war, hat mich dein Brief bewegt, es habe sich mit einem völlig unverhofften Todesfall begeben, daß ein so großer Mann seinen letzten Tag verlebte. Daher beweine ich zuerst das übergroße Unglück für die Kirche, die Gottes großes Haus ist, und kaum daß sie durch Gottes Barmherzigkeit einen neuen Anfang genommen hat, ihres treuen Wächters und Vaters beraubt worden ist [...] Deutschland hat seinen Propheten verloren, es wird keinen solchen Mann in alle Zukunft, für alle Generationen haben".[29]
In vielen Einzelheiten seiner theologischen Arbeit blieb Luthers Einfluß auf Agricola mit Händen zu greifen. Jedoch in den ihn von Luther unterscheidenden und für Luther entscheidenden Zusammenhängen blieb er auf eigenen Pfaden. Das bedeutete, daß ein einziges Dokument, sein theologischer Widerruf von 1540, deutlich politischer und diplomatischer Absicht geschuldet war, und es ist zu vermuten, daß Agricola dabei der Wille des Kurfürsten Joachim II. von Brandenburg die Feder geführt hat, dem an einer Versteifung des Verhältnisses zu Kursachsen nicht gelegen sein konnte. „Derhalben bekenne ich offentlich mit Munde und Herzen in aller Einfalt fur Gott und Menschen, daß ich gläube und halte, wie denn solchs auch die Witteübergische Kirche gläubet und hält einträchtig, bei welcher ich auch die Zeit meines Lebens der Lehr halb zu beharren gedenke" – das mußte außerdem keinen völligen Gesichtsverlust für Johann Agricola bedeuten, denn er fuhr fort: „[...] daß die Predige des Gesetzes nicht soll hintan gesetzt werden, wenn man auch den Heiligen die Buße predigt, sondern daß im Neuen Testament das Amt des Gesetzes, wenn man Buß predigte, im Evangelio mit begriffen werden soll".[30] Ganz ähnlich hätte Melanchthon reden können, und auch er gehörte zur „Witteübergischen Kirche".
Noch aber ist nicht beantwortet, was Agricola veranlaßte, ausgerechnet in

dem einen Sachzusammenhang von ihm selbst unbemerkt, eigene Wege zu gehen, die auch Luthers theologischen Nerv berührten. Luther hat einmal bei Tisch von Agricola gesagt: „[...] er hat andere pricipia im Herzen",[31] und er hatte wohl recht damit. Der Schlüssel dazu lag bei Luther selbst. Hört man 1527 Agricola dort, wo er seine Meinung selbständig entwickelt, so hört man den Luther des Ablaßstreits von 1518 sprechen.[32] Der jüngere der beiden Freunde war sich noch im Dezember 1537 dessen bewußt, in theologischen Fußstapfen zu gehen, die der ältere Freund 11519 im „Sermon von der Betrachtung des heiligen Leidens Christi" gegangen war. Noch mehr: Wiederholt hat Agricola mit den gleichen Bildern und der Berufung auf die gleichen Bibelzitate argumentiert, die Luther in der Römerbriefvorlesung in den Tagen im März 1516 ausgebreitet hatte, als sich die erste Begegnung zwischen ihnen ereignete.[33] Das bedeutet, daß Agricola zeit seines Lebens diesem Ereignis verhaftet blieb, das seine Lebenswende gebracht hatte.

Agricola – ein „Gottesdummer" also im Sinne Thomas Manns?

Ich denke, ganz wird ihm die Bezeichnung nicht gerecht. Agricola gehörte wie Luther zu Menschen, die sich „von überständigem Brauch" lösten, „von dem, worüber Gott mit uns hinauswill und schon ist". Daß er Luthers Weg nach 1519 einfach nicht mitvollzog, teilte er mit anderen seiner Weggefährten und Zeitgenossen, so z. B. mit Thomas Müntzer und Andreas Karlstadt. Sie alle waren fasziniert von der ersten Begegnung mit Luther und blieben in seinem Bann. Luther hatte ihnen z. B. 1516 die Lektüre Johannes Taulers empfohlen, des Dominikanermystikers, in dessen Glaubensmuster sich Luther um diese Zeit wiederfand, und Agricola zitierte, ohne es anzugeben, in einer seiner 1537 veröffentlichten Predigten ausführlich Tauler.[34] Luther mißbilligte das nicht, auch er hat von mittelalterlicher Spiritualität viel übernommen und verarbeitet, aber er war weiter gegangen, und manche konnten ihm nicht folgen, und von Agricola sagte er 1540: „[...] er hat andere pricipia im Herzen". Daß er darüber nach vergeblichen Versuchen zur Verständigung in der Öffentlichkeit so zornig wurde, wie er eben werden konnte, ihm im kleinen Kreis Tränen in die Augen stiegen, wenn er auf den Freund zu sprechen kam und sich noch lange Gewissensbisse machte, ob er wirklich alles zur Versöhnung getan hatte, was möglich war, das lag wohl an der tiefen Enttäuschung über einen Freund, der zu den ersten gehört hatte, auf die der Funke des Evangeliums übergesprungen war, der ihn selbst entzündet hatte. Johann Agricola war wohl auch ein Freund, der – es ist zu ahnen – in einsamen und Zweifel weckenden Zeiten an Luthers Seite blieb und tröstete, weil er da war. Es gibt wohl wenige Freundschaften Luthers, die in ihrer Dramatik so dicht und so differenziert dokumentiert sind wie diese. Das macht ihre Besonderheit aus.

Anmerkungen

1 Thomas Mann: Zeit und Werk. Tagebücher, Reden und Schriften zum Zeitgeschehen, Berlin 1956, S. 460–462.

2 Zu Biographie und Werk vgl. Joachim Rogge: Art. Agricola, Joachim. In: Gerhard Krause/Gerhard Müller (Hg.): Theologische Realenzyklopädie, Bd. 2, Berlin-New York 1978, S.110–118 (dort weitere Literatur); Ernst Koch: Art. Agricola, Johann. In: Die Deutsche Literatur. Biographisches und bibliographisches Lexikon. Reihe II: Die Deutsche Literatur zwischen 1450 und 1620, hg. v. Hans-Gert Roloff, Bd.1, Bern u. a. 1991, S. 453–460.

3 Ernst Koch: Johann Agricola und Martin Luther. Schülerschaft und theologische Eigenart. In: Gerhard Hammer/Karl-Heinz zur Mühlen (Hg.): Lutheriana. Zum 500. Geburtstag Martin Luthers von den Mitarbeitern der Weimarer Ausgabe, Köln-Wien 1984, S. 135.

4 Ebd.

5 Vgl. die autobiographische Aufzeichnung Agricolas: „Seit dieser Zeit geschah es, daß Luther mich beständig zu allen seinen Pflichten herbeiholte" [Atque ex eo tempore factum est, vt me ad omnia sua offitia perpetuo accerseret Lutherus] (Ernst Thiele: Denkwürdigkeiten aus dem Leben des Johann Agricola von Eisleben. In: Theologische Studien und Kritiken 80 (1907), S. 253).

6 D. Martin Luthers Werke. Kritische Gesamtausgabe, Weimar 1883f. (im folgenden: WA), Bd. 9, S. 122–159.

7 WA, Abt.Briefe (im folgenden WA Br), Bd. 2, S. 335.

8 So z. B. WA Br Bd. 3, S. 589.

9 WA Br Bd. 4, S. 219f.

10 Ebd., S. 241.

11 Ebd., S. 241f.

12 Carl Eduard Förstemann: Neues Urkundenbuch zu Geschichte der evangelischen Kirchenreformation, Bd. 1, Hamburg 1842, S. 319.

13 pugna verborum, WA Br 5, S. 272.

14 Ebd., S. 557.

15 WA Br 8, S. 122.

16 WA Br 7, S. 587.

17 WA Tischreden (im folgenden: WA TR) Bd. 4, Nr. 4724.

18 WA Bd. 50, S. 470.

19 WA TR Bd. 4, Nr. 4156.

20 WA TR Bd. 4, Nr. 3454.

21 WA TR Bd. 4, Nr. 4924.

22 WA TR Bd. 4, Nr. 5088a.

23 WA TR Bd. 6, Nr. 6880.

24 WA TR Bd. 5, Nr. 5195.

25 WA Br Bd. 7, S. 617.

26 WA Br Bd. 5, S. 513; Bd. 7, S. 617; Bd. 8, S. 122 und 159.

27 C. E. Förstemann (wie Anm.12), S. 319.

28 Joachim Rogge: Johann Agricolas Lutherverständnis. Unter besonderer Berücksichtigung des Antinomismus, Berlin 1960, S. 230f.

29 Ebd., S. 234f.

30 C. E. Förstemann (wie Anm. 12), S. 351.

31 WA TR Bd. 5, Nr. 5232a.

32 Vgl. J. Rogge (wie Anm. 28), S. 105–109.

33 Vgl. E. Koch (wie Anm. 3), S. 136–139.

34 Ebd., S. 148–150.

„Dein Geist ist's, den ich rühme“

Johannes Brenz – Luthers Mann in Süddeutschland

Von Martin Brecht

Auf den ersten Blick scheint sich die heute im Kreise der Freunde Luthers zu präsentierende Gestalt von Johannes Brenz in einer Randrolle zu befinden. Er war kein Landsmann von Luther und ist ihm persönlich nur einige wenige Male begegnet. Immerhin war Luthers Freundeskreis keineswegs nur sächsisch-landsmannschaftlich bestimmt, sondern ausgesprochen offen, wie der Doctor Pomeranus Bugenhagen oder der aus dem gleichen südwestdeutschen Bereich wie Brenz stammende Melanchthon beweisen. Martin Bucers alemannischer Dialekt konnte Luther allerdings unter Umständen nerven: „Geischt, Geischt, Geischt, Ihr sprecht immer vom Geischt.“ Doch gerade auch die für Luther schillernde Persönlichkeit Bucers beweist, wie wichtig für die Sache der lutherischen Reformation ihre auswärtigen Residenten waren. Mit Johannes Brenz ist von einem Glücksfall in dieser Hinsicht heute zu reden. Zugleich steht er auch für die räumliche Weite der Wittenberger Beziehungen. Nicht zuletzt ist Brenz längst in Wittenberg angekommen und aufgenommen worden, befindet sich sein Standbild doch mit gutem Grund unter den Statuen der großen Reformatoren in der Schloßkirche.

Vor Jahren hat man einmal den Versuch unternommen, Luther und seine Wittenberger Mitarbeiter als ein team zu begreifen, d. h. als eine Gruppe, die nur als solche und nicht als einzelne Personen ihre historische Leistung habe vollbringen können. Das klang gut, Kooperation gilt als ideale Wirkungsweise mehrerer Menschen, bei der sich überdies keine Einzelperson zu sehr abhebt, was gerade im Blick auf Luther bisweilen als lastend und damit als lästig empfunden wird. Zweifellos ist an der Auffassung vom Wittenberger team etwas Wahres: Melanchthon hat bestimmte Sparten im akademischen Raum abgedeckt und das über Wittenberg hinaus. Bugenhagen hat über seine Wittenberger Tätigkeit hinaus große Bereiche des norddeutschen Raumes für die Reformation organisiert. Man könnte noch weitere derartige Wittenberger Funktionsträger für kleinere oder größere Bereiche entdecken. Dennoch ist die Auffassung vom Wittenberger team schwerlich ganz angemessen. Luthers Kreativität sowie Charisma und von daher dann auch seine Kompetenz bzw. Autorität sind in den meisten Bereichen schlechterdings überragend gewesen. Man braucht sich nur einmal das sog. Synhedrium zu vergegenwärtigen,

Johannes Brenz, Kupferstich, 1597

das die deutsche Bibelubersetzung betreute. Da gab es gewiß Experten, aber das Sagen hatte letztlich Luther.

Gleichwohl hätte Luther seine Lebensleistung nicht ohne Mitarbeiter erbringen können. Zu seinen Gaben gehörte es auch, daß er mit seiner Sache Menschen zu gewinnen vermochte, wobei die Beziehungen über eine bloße Zusammenarbeit hinaus zumeist auch geistlich-seelsorgerlicher Art waren, was allerdings streckenweise eben in der Natur des theologischen Geschäfts lag. Das Umfeld, in dem Luther seine Mitarbeiter fand, war zumeist die Universität. Dies gilt vielfach selbst für solche Personen, die nicht in Wittenberg studiert haben. Die meisten Mitarbeiter Luthers waren jünger als er. Gleichaltrige oder Ältere ließen sich offensichtlich und verständlicherweise nicht mehr so leicht beeindrucken oder längerfristig binden. Wichtig war zumeist noch eine weitere Voraussetzung: Luther wirkte attraktiv auf Wissenschaftler, die bereits im Begriff waren, sich von der hergebrachten Wissenschaft der Scholastik zu lösen und sich auf das quellenorientierte Auslegungsinteresse des christlichen Humanismus einzulassen. Das waren die mobilsten und wachesten Repräsentanten des wissenschaftlichen Nachwuchses, und es gab sie an vielen Universitäten. Fragt man sich, was Luther ihnen über ihre ohnehin neue Wissenschaft und Methodik hinaus zu bieten vermochte, wird man auf dessen vertieftes Verstehen biblischer Texte und damit von Gott, Christus und dem Menschen hinweisen müssen, das dem Einzelnen eine kritische wie befreiende Erkenntnis seiner selbst und des Christentums bot. Sprachlich und inhaltlich war da nochmals mehr als vom Humanismus zu holen.

Die entscheidende Begegnung in Heidelberg

Dafür gibt es einen ebenso exemplarischen wie epochalen Vorgang in der Reformationsgeschichte. Ende April 1518 fand in Heidelberg das Kapitel der deutschen observanten Augustinereremiten statt. Der Ordensvikar Johann von Staupitz ließ dort in einer (üblichen) öffentlichen Disputation den Wittenberger Ordensbruder und Theologieprofessor Martin Luther auftreten, der wenige Monate zuvor mit seinen das Ablaßwesen in Frage stellenden Thesen enormes Aufsehen erregt hatte. Die Thesen, die Luther diesmal verteidigte, waren weit grundsätzlicherer Natur. Sie bestritten nicht nur die Fähigkeit des Menschen zu verdienstlichem Handeln Gott gegenüber, sondern qualifizierten dieses geradezu paradox als Todsünde. Hier fiel der Satz, der freie Wille, an dem für jedes sittliche Tun soviel gelegen ist, nicht zuletzt für den Humanismus, sei im Blick auf den Menschen lediglich ein leerer Titel. Der Mensch ist also, was sein Heil anbetrifft, ganz und gar auf die Gnade angewiesen. Gott aber geht in seinem Handeln die verborgenen Wege des Kreuzes. Damals gebraucht Luther die von Paulus stammende Formel von der Theologie des Kreuzes anstelle einer theologia gloriae. Am Glauben an den gekreuzigten Christus liegt alles. Wunderbar ist der Schlußsatz: „Die Liebe Gottes findet nicht vor, was sie liebt, sondern schafft es erst; die Liebe des Menschen hingegen entzündet sich nur am Liebenswerten."

Die Heidelberger Theologieprofessoren haben zu den gewagten Thesen nicht viel zu sagen gehabt; auch Luthers ehemalige Erfurter Lehrer vermochten ihm nicht beizupflichten. Dennoch hat Luther alsbald realisiert, daß ihm etwas vom Schönsten zuteil geworden war, was einem Lehrer widerfahren kann: Er hatte eine Reihe junger Studenten für sich gewonnen. Welche historischen Folgen dies haben sollte, zeigte sich erst später. Unter denen, die die Disputation gemeinsam mitgeschrieben und Luther dann wohl auch gemeinsam persönlich aufgesucht haben, war der Dominikanermönch Martin Bucer

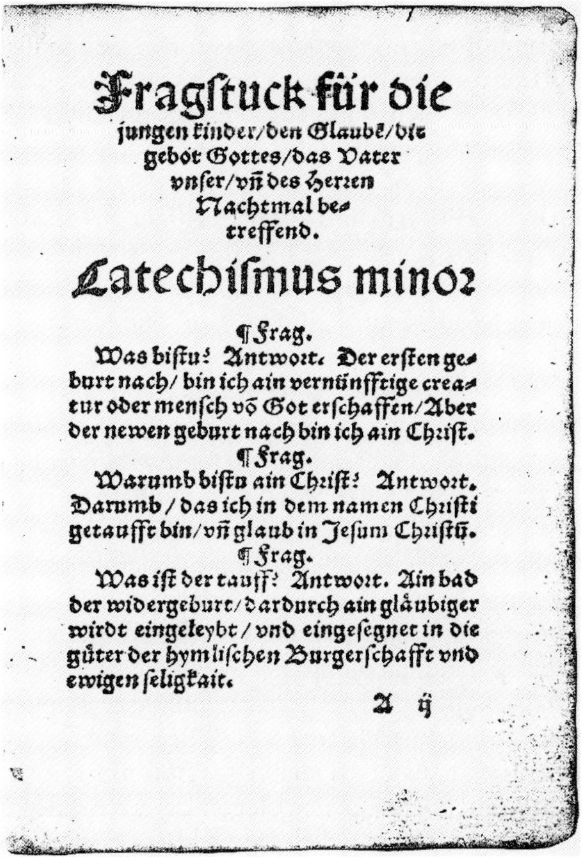

Fragstuck für die
jungen kinder/den Glaubē/die
gebot Gottes/das Vater
vnser/vn̄ des Herren
Nachtmal be-
treffend.

Catechismus minor

¶ Frag.
Was bistu? Antwort. Der ersten ge-
burt nach/ bin ich ain vernünfftige crea-
tur oder mensch vō Got erschaffen/Aber
der newen geburt nach bin ich ain Christ.
¶ Frag.
Warumb bistu ain Christ? Antwort.
Darumb / das ich in dem namen Christi
getaufft bin/vn̄ glaub in Jesum Christū.
¶ Frag.
Was ist der tauff? Antwort. Ain bad
der widergeburt/ dardurch ain gläubiger
wirdt eingeleybt / vnd eingesegnet in die
güter der hymlischen Burgerschafft vnd
ewigen seligkait.

A ij

Erster Katechismus von Johannes Brenz für Schwäbisch Hall, 1527/28 (!)

(1491–1551), später Straßburger Reformator und Führer der sog. oberdeutschen Reformation, ferner Martin Frecht, hauptsächlich Reformator in Ulm, und Johannes Brenz (1499–1570), auf den sogleich einzugehen ist. Zum Kreis der jungen Heidelberger Theologen gehörten noch einige andere wie z. B. Erhard Schnepf (1495–1559), später Reformator in Heilbronn, Nassau-Weilburg und Württemberg sowie Theologieprofessor in Marburg, Tübingen und Jena. Es ist gesagt worden, die jungen Zuhörer Luthers in Heidelberg hätten ihn nicht in der ganzen Tiefe zu verstehen vermocht, weil sie bereits durch die optimistischeren ethischen Ideale des Humanismus geprägt gewesen seien. Man wird hier jedoch vorsichtig sein müssen. Der Umstand, daß ihre Nachschrift nichts von der Theologie des Kreuzes erwähnt, rührt erweislich daher, daß die entsprechenden Thesen während der Disputation gar nicht erörtert worden sind. Wenige Jahre später verraten gerade die Predigten von Brenz und sein Hiobkommentar von 1526, daß er auch die tiefen Gedanken von Luthers Kreuzestheologie durchaus aufgenommen hat.

Der reichsstädtische Hintergrund – der Prediger

Johannes Brenz war der Sohn des Schultheißen der kleinen, westlich von Stuttgart gelegenen Reichsstadt Weil der Stadt. Die Herkunft aus der städtischen Führungsschicht dürfte für sein politisches und gesellschaftliches Weltbild von Bedeutung gewesen sein. Jedenfalls hatte er im Umgang mit politisch Höhergestellten keine Probleme. Über die Verantwortung und Last eines städtischen Führungsamtes samt der damit verbundenen Einsamkeit hat schon der junge Brenz Bescheid gewußt. Das Studium in Heidelberg war bereits von humanistischen Idealen, also von der Ausbildung in den biblischen Sprachen Griechisch und Hebräisch bestimmt. Einer seiner Lehrer war dabei Johannes Oekolampad (1482–1531), der zeitweilige hebraistische Zuarbeiter des Erasmus in Basel, danach Reformator und Theologieprofessor in dieser Stadt, vor allem aber später theologischer Weggefährte Zwinglis. Brenz hätte von diesem Hintergrund her wie Bucer eigentlich zum Sympathisanten der humanistisch bestimmten schweizerischen Reformation werden müssen. Brenz ist noch während seiner Heidelberger Zeit mit reformationsfreundlichen Äußerungen aufgefallen. 1522 wurde er dann vom Rat der Reichsstadt Schwäbisch Hall zum Prediger an der dortigen Hauptkirche, der Michaelskirche, berufen. Er war also nicht Pfarrer, diese Stelle war für seinen Studienfreund, den aus Schwäbisch Hall selbst stammenden Johannes Eisenmenger/Isenmann, reserviert. Immerhin sind gerade in Südwestdeutschland nicht selten die Inhaber der städtischen Prädikaturen die Anführer der Reformation geworden.

26 Jahre hat Brenz das Amt eines Ecclesiastes von Schwäbisch Hall innegehabt, bis er durch das Interim verdrängt wurde, weil Konzessionen an dieser Stelle für ihn Verleugnung Christi bedeutet hätten. Aus der Predigttätigkeit sind die meisten seiner Bibelauslegungen in Kommentaren oder Homilien entstanden, die Brenz zu einem der geschätzten Exegeten der lutherischen Reformation und Kirche werden ließen. Von seiner Kanzel aus ist in Schwäbisch Hall die Reformation initiiert und dann auch auf Kurs gehalten worden. Es gibt eindrückliche Predigten von Brenz zu bestimmten Anlässen oder Themen. Seine sonntäglichen Perikopenpredigten und seine Reihenpredigten zu biblischen Büchern unter der Woche waren durchaus solid, wobei man sich

über die Attraktivität auch keine Illusionen machen sollte. Brenz hat nirgends eine erkennbar breite Bewegung mit seinen Predigten ausgelöst. Als Propst in Stuttgart mußte er hinsichtlich des (wohl wochentäglichen) Kirchenbesuchs feststellen: „Die Brunnen geben Wasser, auch wenn keiner draus trinkt." Immerhin sind die Predigten von Brenz als interessanter zu bezeichnen als die Johannes Bugenhagens oder Heinrich Bullingers. Weit über den Rahmen der verhältnismäßig kleinen Reichsstadt ist Brenz zum Ratgeber und Organisator der Reformation in Südwestdeutschland geworden, und darin liegt dann seine hier zu schildernde Bedeutung für das Luthertum. Ermöglicht wurde Brenzens Wirkung durch seinen festen theologischen Standpunkt, seine klare, verständliche Ausdrucksweise und seine Fähigkeit, sich vermitteln zu können, nicht zuletzt gegenüber den politischen Machthabern. Nach der Vertreibung durch das Interim fand Brenz eine Bleibe im Herzogtum Württemberg. 1553 wurde er Propst an der Stuttgarter Stiftskirche und damit der führende Kirchenmann in Württemberg. In dieser Funktion bestimmte er maßgeblich den Ausbau der württembergischen Landeskirche mit. Diesem Ordnungswerk verdankte Württemberg langfristig sein erhebliches Gewicht innerhalb des deutschen Luthertums.
Größere Möglichkeiten, als einer unter anderen reformatorischen Predigern zu sein, bot die nicht allzu bedeutende Reichsstadt Schwäbisch Hall an sich nicht. Aber gerade an Brenz sind immer wieder von außen besondere Herausforderungen herangetragen worden, in denen er sich dann auch zu profilieren vermochte. Vorweg, wird man urteilen müssen, eignete ihm in vieler Hinsicht ein kreatives Format, das bereits den Prediger von Schwäbisch Hall weit über seine Stadt hinauswirken ließ.

Der Bauernkrieg – das Verhältnis zur politischen Macht

Sieht man einmal von der durch Brenzens Predigten offenbar unschwer bewirkten Durchsetzung der Reformation in Hall ab, entstand eine kritische Situation mit dem Bauernkrieg von 1525, der sich u. a. auch in Franken abspielte. Brenz ließ von Anfang an keinen Zweifel daran, daß es nicht erlaubt sei, der von Gott verordneten Obrigkeit zu widerstreben. Darin stimmte er mit Luther überein. Vom pfälzischen Kurfürsten wie Melanchthon um ein Gutachten über die Forderungen der Bauern gebeten, urteilte Brenz im Gegensatz zu diesem bei aller Anerkennung der vorgegebenen Rechtslage beachtlich ausgewogen. Nach der Niederschlagung des Aufstands trat Brenz unzeitgemäß mehrfach dafür ein, daß die siegreichen Obrigkeiten den Erfolg nicht zu ihren Gunsten ausschlachten sollten, waren sie doch mit schuldig am

Konflikt gewesen. Man konfrontierte ihn deshalb mit den harten Ratschlägen Luthers. Brenz ließ sich nicht beirren. Nicht ganz zutreffend und doch in der Sache richtig behauptete er ohne weitere Kritik: Nachdem der Aufruhr niedergeschlagen und die Rechtsordnung wiederhergestellt sei, würde Luther auch anders schreiben.

Obwohl Brenz wie Luther im Umgang mit den Herrschenden eine theologische Souveränität an den Tag legte, war beiden die Gehorsamspflicht der Untertanen selbstverständliches Gebot. Auch bei dem Reichsstädter Brenz lassen sich nirgends demokratische Ansätze erkennen. Folglich konnte es ein Widerstandsrecht der evangelischen Reichsstände gegen den Kaiser als Obrigkeit eigentlich nicht geben. Bekanntlich war dies ursprünglich auch Luthers Standpunkt gewesen. Aber er hat dann unter politischem Druck 1530/1531 doch in das Zustandekommen des Schmalkaldischen Verteidigungsbündnisses der Evangelischen eingewilligt. In den bewußt kaiserlichen Städten wie Nürnberg ist man ihm darin ganz konsequent nicht gefolgt; in Schwäbisch Hall erst Jahre später, als der friedenserhaltende Charakter dieses Bündnisses sich erwiesen hatte. Diese folgerichtige christliche Option des Gewaltverzichts bleibt jedenfalls eindrücklich. Dabei war Brenz schon aus der Bibel nicht unbekannt, daß Gott den Unterdrückten auch einen befreienden Heroen schicken könnte. In der Situation des Interim hat er freilich Herzog Ulrich von Württemberg geraten, diese Möglichkeit nicht für sich in Anspruch zu nehmen, da zwischen fleischlichem Eigeninteresse und geistgewirkter Sendung schwer zu unterscheiden sei. Faktisch hatte Brenz damit in etwa die Rolle von Moritz von Sachsen im vorhinein erwogen.

Schon früh stellte sich der lutherischen Reformation die Frage, ob die christliche Obrigkeit gegen religiöse Abweichler, konkret ob die katholische Obrigkeit (im Herzogtum Sachsen) gegen die Anhänger Luthers mit Gewalt vorgehen dürfe. Luther hat es 1523 in der Schrift „Von weltlicher Obrigkeit" prinzipiell abgelehnt, daß die Obrigkeit ein Eingriffsrecht in den Bereich des Gewissens habe. Das war die emanzipatorische Seite seiner Zwei-Reiche-Lehre, die man nicht vergessen sollte, zumal sie nicht ohne Wirkung blieb. Mit dem Auftreten der Täufer seit 1525 stellte sich auch für die evangelischen Obrigkeiten das Problem, wie sie mit religiös Andersdenkenden umzugehen gedachten, zumal diese die Partizipation am politischen Gemeinwesen weithin ablehnten und zum Teil mit ihrer Hoffnung auf eine baldige irdische Herrschaft Christi die bestehenden Herrschaftsverhältnisse in Frage stellten. Rechtlich schien der Fall zunächst klar: Schon das Römische Recht sah für Wiedertäufer die Todesstrafe vor. Brenz war der Respekt vor dem geltenden Gesetz an sich selbstverständlich. Allerdings tendierte er in Strafsachen meist zur Mindeststrafe. Hinsichtlich der Täufer rang er sich entsprechend Luthers ursprünglicher Meinung dennoch dazu durch, daß die Anwendung der Todesstrafe gegen sie unzulässig sei. Bei all dem war er noch kein Vertreter der religiösen Toleranz unterschiedlicher religiöser Gruppen, wie sie damals in Nürnberg schon angedacht und Jahrzehnte später in den Niederlanden praktiziert wurde. Brenz blieb wie Luther ein Vertreter des staats- oder landeskirchlichen Prinzips, wie im folgenden noch weiter zu entfalten sein wird. Die Täufer, besonders ihre Anführer, sollten zwar nicht wie in Kursachsen nach den von Luther dann doch gebilligten Vorschlägen Melanchthons hingerichtet, aber eben auch nicht geduldet, sondern aus dem Gemeinwesen ausgewiesen werden. Dennoch waren die Positionen von Luthers Obrigkeitsschrift und von Brenzens Gutachten über die Todesstrafe der Täufer von 1528 Marksteine in der Geschichte der Toleranz, indem sie beide von Sebastian Castellio 1553 in seine Dokumentation „De haereticis, an sint persequendi“ (Ob man Ketzer verfolgen soll) aufgenommen worden sind. Mit den Argumenten von Luther und Brenz hat sich 1635 Roger Williams in Boston gegen den calvinistischen Glaubenszwang verteidigt.

Der lutherische Standpunkt im Abendmahlsstreit

Inwiefern man in Wittenberg wußte, daß Brenz bei grundsätzlich übereinstimmender politischer Ethik praktisch manchmal ausgewogener als Luther urteilte, entzieht sich unserer Kenntnis; tiefere Differenzen resultierten daraus jedenfalls nicht. Die gegebene wesentliche Gemeinsamkeit hatte sich gleichfalls noch 1525 kurz nach Aufbrechen des Abendmahlsstreits herausgestellt. Man muß sich dabei folgende Zusammenhänge klarmachen: Der Abendmahlsstreit hatte zwar mit einer Auseinandersetzung zwischen Luther und Karlstadt begonnen, die durch den Aufenthalt Karlstadts in Straßburg und Basel sowie durch die Veröffentlichung seiner Sakramentstraktate auch nach Südwestdeutschland getragen worden war. Die Auseinandersetzung in einem breiteren Bereich wurde jedoch unter den süddeutschen und schweizerischen Reformatoren geführt. Dies war nicht ganz selbstverständlich. An sich hatten alle diese Theologen die gleiche für sie wichtige Mitgift aus christlich-humanistischem und lutherischem Gedankengut. Eine gemeinsame Tendenz gegen massiv-katholisch-sakramentale und zu spiritualisierenden Vorstellungen hin läßt sich ohne weiteres annehmen und selbst bei Brenz ursprünglich belegen. Im Herbst 1524 hatte Zwingli den Reutlinger Prediger Matthäus Alber in einem offenen Brief für diese Auffassung zu vereinnahmen versucht und dabei erstmals seine persönliche neue Abendmahlskonzeption vorgelegt. Johannes Oekolampad hatte gezielt 1525 seine eigene, mit

den Kirchenvätern fundierte Interpretation der Einsetzungsworte in der Annahme antikatholischer Gemeinsamkeit den „Predigern in Schwaben“ gewidmet, gemeint waren wohl die Oekolampad nahestehenden Pfarrer und Prediger im Bereich des heutigen Württembergisch-Franken. Martin Bucer muß 1525 zwar bewußt gewesen sein, daß eine Differenz im Abendmahlsverständnis zwischen Luther und der süddeutsch-schweizerischen Reformation bestand, aber sie betraf seiner Meinung nach lediglich die für ihn unwesentliche Frage der Sakramentalität der Elemente. Bucer selbst optierte zunächst voll und ganz für die symbolische Deutung. Es hatte mithin den Anschein, als ob sich diese Auffassung ohne weiteres im Bereich der süddeutsch-schweizerischen Reformation durchsetzen würde. Daß es darüber zu einem schweren Konflikt mit Luther kommen mußte, war nicht bewußt. Außerdem stand zunächst überhaupt nicht fest, ob jemand Luthers Position vertreten würde.
Es waren dann im wesentlichen die von Oekolampad angesprochenen, insgesamt 14 Schwäbisch-Fränkischen Prediger, die, angeführt von Johannes Brenz, bei dem sie sich trafen, meinten, Oekolampad widersprechen zu müssen. Möglicherweise hatten sie die Abendmahlsschriften Karlstadts und dann auch Zwinglis sensibilisiert. Das Ergebnis war eine Schrift über die Einsetzungworte, wohl nachträglich als *Syngramma Suevicum* [Schrift der Schwaben] bezeichnet. Bei allem Verständnis für eine symbolische Deutung und für die Ablehnung der hergebrachten Verdinglichung des Abendmahls beharrten die Syngrammatisten darauf, daß die Abendmahlselemente Brot und Wein das vollmächtige, heilbringende Verheißungswort bei sich haben: „Sed quia verbum habet, ...“ [Aber weil es das Wort hat, ...], war ihr Argument. Die Gewißheit des zusagenden Wortes wollten sie sich nicht nehmen lassen. Zugleich stand hierbei die Verläßlichkeit biblischer Aussagen auf dem Spiel. Und hier waren sich die Syngrammatisten ihrer Sache sicher. Über weitere mit dem Abendmahl zusammenhängende Probleme ließ sich das Syngramma noch nicht aus. Das Syngramma ist zuerst in Augsburg und dann in Wittenberg gedruckt worden, wo man die Unterstützung im Abendmahlsstreit zu schätzen wußte. In Wittenberg kamen dann 1526, von Luther veranlaßt und bevorwortet (WA 19, 447–461 und 524–530), auch die beiden von Johann Agricola und von Stephan Agricola (eigentlich Kastenbauer aus Augsburg) gefertigten Übersetzungen des Syngramma heraus. „Das feine büchlein Singramma, von meinen lieben herrn und freunden ynn schwaben gemacht,“ wird von Luther in die Front der Wittenberger eingebaut. Viel mehr wissen wir über diese Streitgemeinschaft zunächst nicht. Nicht einmal Brenzens Name fällt, obwohl es kaum vorstellbar ist, daß Luther nicht gewußt haben soll, wer sein Bundesgenosse war. Noch 1525 hatte Brenz auch gegen die beiden nunmehrigen Straßburger Martin Bucer und Wolfgang Capito und ihre wider-

Johannes Brenz, Kupferstich, Ende 16. Jh.

sprüchlichen Beteuerungen der Eintracht seinen Standpunkt vertreten, was der ursprünglichen Heidelberger Gemeinschaft zuwider laufen mußte. Aber die Liebe durfte nicht auf Kosten des Glaubens gehen. Faktisch haben Brenz und seine Freunde in dem anfänglich keineswegs ganz klaren und auch instabilen Verlauf des Abendmahlsstreites in Süddeutschland wesentlich mit dazu beigetragen, daß die Front zum Stehen kam und der Zwinglianismus sich nicht mehr weiter nach Norden ausbreitete.

Man kann sich wiederum fragen, wie gut und tief Brenz eigentlich Luther in dem zentralen Komplex der Abendmahlslehre verstanden hat. Das eindrückliche Dokument dafür ist die ausführliche *Exegesis* [Auslegung] des Johannesevangeliums, die Brenz mit Widmung an die Brüder im Kraichgau, also an einen Teil der Syngrammatisten, zuerst 1527 und dann interessant revidiert 1528 herausbrachte. Dabei war zu Joh 6 die Auseinandersetzung mit der spiritualisierenden gegnerischen Abendmahlsauffassung unumgänglich. Es zeigt sich, besonders in der Neuauflage, daß Brenz nunmehr die von Luther gezogenen christologischen Konsequenzen wie wenige übernommen und nachvollzogen hatte. Kein Wunder, daß Luther gerade diesen Kommentar für eine Spitzenleistung reformatorischer Schriftauslegung hielt. Dabei ging es letztlich eben nicht um subtile Spekulationen, sondern um die Gemeinschaft des Gottessohnes mit seinen Menschen und um die Verbindung des Menschen mit Gott ohne wenn und aber, d. h. ohne vernünftige Vorbehalte, wie sie auch bei dem Humanisten Melanchthon sich immer wieder bemerkbar machten und bei den meisten norddeutschen Lutheranern dann nachwirkten. Beim Marburger Religionsgespräch 1529, wozu Brenz als einer der lutherischen Experten geladen war, ergab sich die erfreuliche Gelegenheit einer weiteren Zusammenkunft mit Luther, dem es allerdings lieber gewesen wäre, wenn Brenz nicht gekommen wäre und das Gespräch überhaupt nicht stattgefunden hätte (WA Br 5; 141, 10–21). Brenz hat nicht nur damals seinen lutherischen Standpunkt gegenüber Oekolampad vertreten, sondern ihn in den 50er und 60er Jahren nochmals in seinen bedeutenden christologischen Spätschriften eindrücklich gegen den Züricher Heinrich Bullinger und in Spannung zu Melanchthon verfochten. Diese Mitgift hat er dann auch seiner württembergischen Kirche hinterlassen. Eines der tiefsten und provozierendsten Motive von Luthers Theologie hat gerade so fortgewirkt.

Ähnlich wie nach Marburg brachte Markgraf Georg von Brandenburg-Ansbach, der sich wie übrigens schon vorher manche fränkischen Ritter des Rats von Brenz auch sonst bei der Reformation seines Territoriums bediente, ihn auch auf den Augsburger Reichstag 1530 mit. Vom Format her war Brenz dort unter den lutherischen Theologen der zweite Mann nach Melanchthon, aber deutlich noch vor den anderen Kursachsen wie Jonas und Agricola. Brenz hat die auf Ausgleich mit dem Kaiser zielende Linie Melanchthons und Kursachsens mitgetragen, weshalb ihn Luther gelegentlich als vom Sorgengeist Melanchthons angesteckt vermutete. Brenz war dann auch in einem berühmten Briefwechsel einbezogen in die konsequente Ausgestaltung der Rechtfertigungslehre, wie sie Melanchthon mit der Apologie der Confessio Augustana anstrebte. Dabei wird erkennbar, daß Brenz wie übrigens ebenso Luther auch an einer effektiven Rechtfertigung lag (vgl. WA Br 6; 100, 49–101, 59 und 134, 1–14). Letztlich schwenkte Brenz wie auch Luther auf die strikte forensische Rechtfertigungslehre Melanchthons ein. Davon konnte ihn bei aller Verständnisbereitschaft auch Andreas Osiander nicht abbringen. Wohl aus der Augsburger Zeit stammt Brenzens Bekanntschaft mit dem fast gleichaltrigen Humanisten Joachim Camerarius (1500–1574), mit dem Brenz bei der Reformation der Universität Tübingen zusammengearbeitet hat und

der später als Professor in Leipzig für ihn ein wichtiger Partner aus dem Umkreis Melanchthons war.
1537 hat Brenz an dem großen Theologentreffen des Schmalkaldischen Bundes teilgenommen, wobei er sich bescheiden als einer der geringsten vorkam. Er ist dabei auch erneut Luther begegnet, der freilich durch seine Steinbeschwerden schwer beeinträchtigt war. Von den Wittenbergern wurde zur Kenntnis genommen, daß Brenz besonders daran Anstoß nahm, daß der nicht selten schwierige Andreas Osiander eine Predigt Luthers taktlos von der Kanzel zu kritisieren wagte (WA TR 4, Nr. 4763, 5048). Weil Brenz vorzeitig abreisen mußte, ermächtigte er Bugenhagen zur Unterschrift unter die Confessio Augustana samt der Apologie, unter die Wittenberger Konkordie, unter Melanchthons Tractatus de potestate Papae sowie unter Luthers für diese Zusammenkunft verfaßten Schmalkaldischen Artikel. Seinem Urteil nach stimmten alle diese Bekenntnisse mit der Heiligen Schrift und der Meinung der wahren und echten katholischen Kirche überein (BSLK 466 Anm. 3).

Lutherische Kirchenordnung

Interessant ist es zu beobachten, wie Brenz die Anregungen lutherischer Kirchenordnung aufnahm. Der Haller Abendmahlsgottesdienst orientierte sich an Luthers *Formula Missae* von 1523. Aber Brenz hatte von Luther dabei auch die Freiheit hinsichtlich der liturgischen Ordnungen gelernt. Später in Württemberg konnte er sich offensichtlich auch in den kargeren (aber von Luther gebilligten) oberdeutschen Prädikantengottesdienst finden. Angesichts der Türkengefahr hat er schon 1529 die von Luther gereinigte Litanei ebenso übernommen wie das Lied „Verleih uns Frieden gnädiglich". Brenz selbst spielt in der evangelischen Hymnologie keine Rolle. Unter seinem Namen läuft nur ein deutsches Te Deum, aber das stammt von Thomas Müntzer. Brenzens Auseinandersetzung mit dem altgläubigen Gottesdienst läßt jedoch vermuten, daß er auch von liturgischer Musik etwas verstanden hat. Eigene Gesangbücher kamen in den von ihm betreuten Kirchen erst nach seiner Zeit auf. Wie Luther hatte Brenz nichts gegen unanstößige Bilder in den Kirchen. In Schwäbisch Hall ist es zu keinem Bildersturm gekommen. Auf dem sog. Uracher Götzentag von 1537 vermochte allerdings auch Brenz die Abschaffung der Bilder in Württemberg nicht zu verhindern.
Brenz ist einer der wichtigsten Architekten reformatorischer Kirchenordnung geworden. Luthers Scheu vor neuen kirchlichen Ordnungen und entsprechender Gesetzlichkeit war ihm offensichtlich fremd. Die frühe Haller Kirchenordnung von 1527 bezeichnete er im Anklang an die Erneuerung sonstiger

städtischer Ordnungen, aber zugleich programmatisch als „Reformacion der Kirchen zu Schwebischen Hall“. Bei seinen Kirchenordnungsmaßnahmen ist Brenz ein Sinn für das Praktikable und Machbare zu attestieren, der bei aller Festigkeit nicht stur auf der eigenen Konzeption beharrte, sondern sich den Realitäten und Schwierigkeiten gegebenenfalls anzupassen wußte. Hinsichtlich der Durchführung harter Strafmaßnahmen beherzigte er die Belehrung eines erfahrenen Bauern: „Wer hart schneuzt, bringt Blut raus.“ Genannt sei zunächst die für die konservativen lutherischen Kirchen wichtige Brandenburgisch-Nürnbergische Kirchenordnung von 1533, an der Brenz neben Andreas Osiander mitwirkte. Für die Unterweisung der Jugend hat auch Brenz sich mehrfach um Katechismen bemüht. Herausgekommen ist dabei 1535 ein Lehrbuch, das sich neben Luthers Kleinem Katechismus den zweiten Platz im Luthertum eroberte, wahrscheinlich weil es noch knapper war. Luthers Anregungen für die Entwicklung des Schulwesens hat Brenz eigenständig aufgenommen und dabei nicht nur die Lateinschulen, sondern, wiewohl weniger intensiv, auch die deutschen Schulen sowie die Bildung der Mädchen berücksichtigt. Ursprünglich schwebte Brenz wie vielen oberdeutschen und schweizerischen Reformatoren ein selbständiges kirchliches Sittengericht zur Durchführung der Kirchenzucht vor. Die evangelischen Obrigkeiten sperrten sich jedoch gegen eine neue selbständige kirchliche Gerichtsbarkeit. Brenz hat hinsichtlich dieser Problematik selbst seine Konzeption geändert. Er entwickelte aus lutherischen Vorstellungen das System einer ständigen Visitation mit Spezial- und Generalsuperintendenten als Zwischeninstanzen und einer zentralen leitenden Kirchenbehörde. Kirchenzuchtgremien auf Gemeindeebene lehnte er später ab, eine markante Differenz zum Calvinismus. Für presbyteriale und synodale Verfassungsstrukturen war in seinem System eigentlich kein Platz. Das zentralistische Kirchenverfassungssystem von Brenz hat in Württemberg hervorragend funktioniert, besser noch als das von Luther schließlich akzeptierte Konsistorium. Das Modell der Württembergischen Kirchenordnung ist darum auch 1580 in Kursachsen zum Teil übernommen worden. Manche Bereiche wie z. B. die Theologenausbildung waren auch bestens organisiert. Der große Nachteil ist allerdings gleichfalls unübersehbar. Die Mitwirkung der Gemeinde und, abgesehen von den Regierenden sowie deren Beamten, der Laien war selbst bei den Pfarrbesetzungen nur noch passiv. Der bei Brenz so ausgeprägte Patriarchalismus war hier auf die Spitze getrieben. Dabei war Brenz persönlich keineswegs unterwürfig. Er konnte gegenüber Hochgestellten auch eine eigene Meinung äußern, notfalls auch (entschieden) widersprechen. Zu den Geheimnissen seines Erfolgs gehörte es freilich, daß er sich vermitteln konnte und fast immer zu überzeugen wußte.

Gegenseitige Wahrnehmungen

Noch im Herbst 1527 traute sich Brenz wegen seiner Jugend und wegen Luthers sonstiger ungeheurer Inanspruchnahme nicht ohne weiteres, mit ihm in brieflichen Kontakt zu treten, sondern bat Spalatin um die Übermittlung von Grüßen, was dieser über Melanchthon dann auch ausführte. Darauf bekam Brenz von Luther ein Schreiben, das seine ihm von Gott verliehene Gnade und den treuen Verkündigungsdienst rühmte. Der Brief sollte der Beziehungspflege mit gleichgesinnten Brüdern dienen, zumal Luther mitten im Abendmahlsstreit Feinde genug hatte (WA Br 4; 285f). Es war danach dann nicht einfach an dem, daß Luther und Brenz fern von voneinander und weithin beziehungslos gewirkt hätten. Von beiden liegt eine Reihe instruktiver gegenseitiger Urteile vor. 1528 schrieb Luther dem Hagenauer Buchdrucker Johann Secer ein Vorwort zu Brenzens Auslegung des Prediger Salomo (WA 26, 619–622). An sich hätte Luther gerne seine eigene, 1526 gehaltene Vorlesung über den Prediger Salomo herausgebracht, war aber dazu u. a. wegen des Abendmahlsstreits nicht gekommen. Nunmehr erklärte er sich bereit, auf seinen Plan (vorläufig) zugunsten von Brenz zu verzichten. Auch wenn man in Rechnung stellt, daß Luther hinsichtlich der von ihm bevorworteten Autoren gelegentlich hohe Töne angeschlagen hat, ist seine Äußerung über Brenz bemerkenswert:
Denn ich mich gar trostlich versehe, das Christus, unser Herr, durch den selbigen man werde uns etwas guts geben, weil er bißher so reichlich ist begabt mit den zwo hohen Bischofflichen gaben, da Paulus von sagt, nemlich das er mechtig ist, die heilsame schrifft zu handeln und so treflich gerust, wider die Rotten zufechten, und darzu sollichs beydes mit aller demut, fleiß und andacht ausrichtet.
Luther konnte nur beten, daß Christus „sein liebes Rüstzeug rein und fein erhalten und viel durch ihn thon“ möge. Brenz wurde von Luther also als der begabte Bibelausleger und als der Kampfgenosse im Abendmahlsstreit wahrgenommen, wobei ihm die persönlichen Qualitäten von Brenz nicht entgangen sind. Dieser war in der Tat ein bis in seine Frömmigkeit sehr sachbezogener Theologe. Wahrscheinlich konnte Luther an dieser einmal auch in deutscher Sprache abgefaßten Auslegung des Prediger Salomo seine Freude haben, denn Brenz hat dabei mehr noch als sonst Sprichwörter und Redensarten aufgenommen und ist damit in die Nähe von Luthers Ausdruckskraft gekommen.
Seine Auslegung des Propheten Amos, die in Wittenberg gedruckt werden sollte, hatte Brenz schon 1529 dem Urteil Luthers unterbreitet, aber erst auf der Coburg schrieb dieser „dem Jünger und Bekenner Christi, dem treuen

Priester [!] der Haller Kirche" einen als Vorrede gedachten Brief (WA 30/II, 647–651; vgl. bereits Luthers Brief vom 29. August 1529. WA Br 5, 141, 3–9). Luther stellte fest, der Heilige Geist wehe in dieser Auslegung, und lehnte es darum ab, sie zu meistern. Und dann folgt eines jener Urteile, in denen Luther seine eigenen, angeblich groben und wilden Schriften gegenüber den feinen, sanften, geistdurchwehten seiner Freunde hintanstellte, wie wir das auch bezüglich Schriften Melanchthons kennen. Als Bild dient das sanfte Wehen des Geistes (1. Kön 19, 11ff). Als besondere Gabe Gottes hob Luther die Behandlung der prinzipiellen Glaubensgerechtigkeit durch Brenz hervor, „die allein die Kirche Gottes hervorbringt, nährt, erbaut, bewahrt, verteidigt und ohne die sie nicht eine Stunde bestehen kann", eine gerade neuerdings wiederum aktuelle Aussage. Luther konstatierte in dieser Hinsicht große Defizite selbst bei den Kirchenvätern und ermutigte Brenz, dieses Lehrstück von der Glaubensgerechtigkeit unablässig weiterzutreiben, denn allein dadurch werde der Schlange der Kopf zertreten (Gen 3,15). Dem Schriftausleger Brenz wird hier der Rang eines prinzipiellen Kirchenlehrers eingeräumt. Brenz hat das überschwengliche Lob übrigens nicht angenommen und anerkannt. Von derartiger Begabung träume er nicht einmal. Luther aber sei ihm mit seiner demütigen Zuwendung nur größer geworden (4. Nov. 1530. WA Br 5; 674, 3–11). Brenzens Homilien über die ersten 12 Kapitel des Lukasevangeliums von 1537 (mit ihren fast 600 Folioseiten) hielt Luther nicht ohne Grund für kaum erwerbbar, schwerlich lesbar oder gar erbaulich (WA TR 4, Nr. 4025). Die lateinische Vorrede Luthers zum Nachdruck der ausführlichen Schrift von Brenz *Wie in Ehesachen christlich zu handeln sei* von 1531 (WA 30/III, 479–486) läßt lediglich die Übereinstimmung in der evangelischen Auffassung von der Ehe erkennen. Möglicherweise wurde Brenz wegen des Nachdrucks nicht eigens gefragt. 1532 wurden in Wittenberg die Türkenpredigten von Brenz gedruckt, die er 1529 unter dem Eindruck des Vordringens der Türken gehalten hatte. Luther war für diese Edition, weil sie seinen eigenen Ruf zur Buße und Gottesfurcht unterstützte, wiewohl er pessimistisch keinen größeren Erfolg erwartete (WA 30/III, 533–537). Diese unterschiedlichen Veröffentlichungsprojekte dokumentieren, wie Brenz ohne Probleme seinen festen Platz in der Phalanx der Wittenberger Reformation gefunden hatte. Leider ist die Überlieferung des Briefwechsels zwischen Brenz und Luther äußerst lückenhaft. Von 1532 bis 1546 ist gerade noch ein Brief von Brenz vom Regensburger Religionsgespräch erhalten, aber der hat Luther schon nicht mehr lebend angetroffen (WA Br 11; 302 f). Am 26. Februar 1546 erfuhren die in Regensburg versammelten evangelischen Theologen durch einen Brief von Amsdorff vom Tod Luthers. Graf Wolrad von Waldeck hebt in seinem Tagebuch von den Trauernden besonders hervor: „Brentius vero, Major et Sneppius etiam fletu dolorem praeceptoris et parentis palam ostenderent; qua de caussa nihil deliberatum hac die est" [Brenz, Major und Schnepf aber zeigten auch mit Weinen den Schmerz über den Lehrer und Vater] (ARG 7, 1908/10, 315). Die mit Jer 8,23 artikulierte trauernde Sorge galt nicht dem Verstorbenen, sondern den Nachgebliebenen (CR 6,64). Die undatierte Tischrede Luthers, daß er nach seinem Tod drei Theologen zurücklasse: Pomeranus [Bugenhagen], Brenz und Cordatus (WA Tr 3, Nr. 3426), besagt eher etwas über die in Wittenberg bestehenden Spannungen mit den Schülern Melanchthons als über das Format von Brenz. Immerhin ist sie eine Bekundung der theologischen Übereinstimmung.

In dem schon 1546 verfaßten Widmungsschreiben seines Galaterkommentars (1547), der die Übereinstimmung mit dem Lehrer Luther und dessen großer Auslegung dieses Briefes bekunden sollte, findet sich auch der bedeutende Nachruf auf ihn: Brenz dankte Gott für einen solchen Heroen, der die fromme, aber schlimm verdunkelte Lehre wieder ans Licht gebracht habe. Dies wird in einem Rundblick vorgeführt, der die von Gott durch Luther geschenkten Wohltaten benennt: Begonnen wird mit dem gottesdienstlichen Bereich: In der Kirche werden dem Papst und den Mönchen zum Trotz Gesetz und Evangelium, also die gesamte heilsnotwendige Lehre, richtig ausgelegt, die Sakramente fromm verwaltet, der Name Gottes wahrhaft angerufen, die Psalmen nützlich gesungen. In der (hohen) Schule wird dank dem Dienst unseres Lehrers Luther nach Abschaffung der unreinen und gottlosen Träume der Scholastiker die Heilige Schrift, auf deren richtige Erkenntnis alle Studien auszurichten sind, rein und lauter überliefert. Wenn im politischen Bereich mit gutem Gewissen die Verwaltung ausgeübt und das Schwert geführt werden, ist dies der Lehre Luthers von der Obrigkeit zu danken. Daß im häuslich-wirtschaftlichen Bereich, also Ehe, Landwirtschaft, Handwerk und Handel, viele Beschwerlichkeiten und Verwirrungen behoben sind, rührt von der Belehrung durch Luther. Brenz hatte in wenigen Sätzen des Dankes die nahezu universalen Auswirkungen von Luthers Theologie zutreffend erfaßt und wußte nur noch um Erhaltung des ans Licht gebrachten Evangeliums zu bitten. Vieles davon hatte Brenz seinerseits treu und doch eigenständig umgesetzt. Von Kritik oder Leiden an Luthers Wesen ist bei Brenz wenig zu erkennen. Auch ihm war z. B. klar, daß die gegen Herzog Heinrich d. J. von Braunschweig gerichtete scharfe Schrift *Wider Hans Worst* (1541) den Teufel verdrießen und damit Anstoß erregen werde. „Ich weyss aber dem Luthero als eynem Heroi in solchen sachen und eynem offenlichen prediger der gantzen Teutschen Nation, ja der gantzen Christenheyt nichts eynzureden noch seynen von gott erweckten ernst und eyffer zu verwerfen. Er khan sollich leut nicht so übel schelten, sie haben noch eyn ergers verdienet" (Th. Pressel,

Anecdota Brentiana 1868, 217f). Die Bezeichnungen Heros und Prediger Deutschlands verraten, daß Luther für Brenz ein außerordentlicher Rang zukam. In der Apologie der dem Trienter Konzil überreichten Confessio Virtembergica (1558, S. 28) gegen den Dominikaner Petrus a Soto bekennt sich Brenz ausdrücklich zu Luther als seinem Lehrer. Dieser galt ihm als von Gott erweckt, um durch die Macht der durch seinen Dienst offenbar gemachten himmlischen Lehre die mönchischen und päpstlichen Gottlosigkeiten ans Licht zu bringen und zu zertreten. Dieses Befreiungserlebnis ist Brenz immer bewußt geblieben. Sein 1566 abgefaßtes Testament dankt für das Leben zu der Zeit, „da der Greuel des Papstthums und das rechte Licht des Evangeliums durch den Herrn Dr. M. Luther selig, seinen freundlichen, lieben Präceptor, offenbaret worden", bekennt sich zur Augsburgischen Confession und distanziert sich ausdrücklich nochmals von Zwinglis Abendmahlslehre (Julius Hartmann und Karl Jäger, Johann Brenz, Bd. 2, 1842, 303).

Brenz, Luthers Mann in Süddeutschland, hat sich immer als dessen Schüler verstanden, obwohl er ihn kaum gehört hat. Aber gerade dies ermöglichte offenkundig ein unvermitteltes und unverstelltes Vernehmen. Sie wußten sich in gleicher Front gegen die katholische Seite wie gegen die Sakramentierer, und dies reichte bis in die Tiefen ihres Glaubens. Sie stimmten in der Wahrnehmung sowie der Bewältigungsweise der obliegenden Aufgaben erstaunlich überein. War Luther für Brenz die sein Leben und Werk prägende Begegnung, so hatte Luther in Brenz einen seiner Multiplikatoren gewonnen, der seinen Wittenberger Mitarbeitern an Bedeutung kaum nachstand. Dies rechtfertigt, hier und heute über ihn geredet zu haben.[1]

Anmerkung

1 Das Thema ist in jüngerer Zeit auch von Hermann Ehmer, Johannes Brenz und Martin Luther , in: Wolf-Dieter Hauschild u. a. (Hgg.), Luthers Wirkung, FS Martin Brecht, Stuttgart 1992, 97–109 bearbeitet worden.

„Pomeranus hat mich oft getröstet".
Johannes Bugenhagen - Freund und Seelsorger Luthers

Von Volker Gummelt

„Lieben freunde / Ich soll jtzt / vnd wil gern bey dem begrebnis / vnsers hertz lieben vaters / D. Martini seligen / eine Predigt thun / Was aber / oder wie soll ich reden / so ich fur weinen nicht wol kan ein wort machen? Vnd wer sol euch trösten / so ich ewr Pfarrherr vnd Prediger nicht reden kan? Wo hin kan ich mich von euch wenden? Ich werde ohn zweiuel mit meiner rede mehr heulens vnd trawrens machen / Denn wie solten wir nicht alle hertzlich trawren / so Gott vns dis betrübnis zu geschickt / vnd den hohen tewren Man / den Ehrwirdigen D. Martinum Luther / von vns weg genomen."[1] Mit diesen Worten beginnt die Leichenpredigt, die Johannes Bugenhagen am 22. Februar 1546 in seiner Eigenschaft als Wittenberger Stadtpfarrer für Luther zu halten hatte. Es war dies der letzte Dienst, den der „Pomeranus" für seinen langjährigen Freund leisten durfte. Auch wenn die gestellten Fragen sehr rhetorisch klingen, so lassen sie doch erahnen, welch einen tiefen Einschnitt der Tod Luthers für Bugenhagen bedeutete. Ging doch damit eine äußerst enge Arbeits- und Lebensgemeinschaft zu Ende, die fast ein Vierteljahrhundert gewährt hatte.

Im Folgenden soll ein Einblick in diese Arbeits- und Lebensgemeinschaft gegeben werden. Dabei wird jedoch nicht in erster Linie auf das gemeinsam von beiden Männern für die Reformation Geleistete eingegangen, sondern vielmehr soll versucht werden, deren persönliche Beziehung zueinander näher zu betrachten. Insbesondere wird danach gefragt werden, was diese Freundschaft mit Bugenhagen für Luther bedeutete.[2] Leider entzieht sich dabei vieles unserer Kenntnis. Die Quellen, die uns dazu zur Verfügung stehen, haben auf den ersten Blick einen eher zufälligen Charakter. Es handelt sich hierbei vor allem um Äußerungen Luthers in Briefen und in den studentischen Aufzeichnungen der sogenannten Tischreden, die oft nur am Rande stehen. Das heißt freilich nicht, daß für Luther seine Beziehung zu Bugenhagen ebenso am Rande stand. Gerade das Gegenteil war der Fall. Die Freundschaft mit Bugenhagen war für ihn so selbstverständlich in vielen Dingen, daß er sie gegenüber dritten nur noch kurz anzudeuten brauchte.

Johannes Bugenhagen war am 24. Juni 1485 in Wollin in Pommern geboren worden.[3] Damit war dieser nur etwa zwei Jahre jünger als Luther. Nach einem zweieinhalbjährigen Studium an der Artistenfakultät der Greifswalder Uni-

versität wurde Bugenhagen 1504 Rektor an der Stadtschule im pommerschen Treptow an der Rega. Im Jahre 1509 wurde er zum Priester geweiht. 1517 war Bugenhagen neben seinem Schulamt zum Lektor für Bibelauslegung am Prämonstratenserkloster Belbuck, das vor den Toren Treptows lag, berufen worden. Nachweislich erst im Herbst 1520 kam er in Kontakt mit Luthers Theologie. Die erste Schrift Luthers, die Bugenhagen gelesen haben dürfte, war dessen ausführliche Abrechnung mit der römisch-katholischen Sakramentslehre, das im Oktober 1520 erstmals veröffentlichte Traktat „De captivitate Babylonica ecclesiae. Praeludium“ (Von der babylonischen Gefangenschaft der Kirche. Vorspiel).[4] Von dem Inhalt dieser Schrift angetan, wandte sich der pommersche Schulmann offenbar umgehend an Luther selbst. Dieser schickte ihm als Antwort auf sein Schreiben zusammen mit einem Begleitbrief wohl im November 1520 einen Druck seiner soeben erschienenen Schrift „De libertate christiana“ (Von der christlichen Freiheit).[5] Die Lektüre dieser Luther-Schriften führte bei Bugenhagen zu dem Entschluß, nun selbst aus erster Hand die neue Wittenberger Theologie kennenzulernen. Das hieß: Der damals bereits fast 36jährige Lehrer Bugenhagen beabsichtigte, wieder ein Lernender zu werden. Als Bugenhagen dann im März 1521 in Wittenberg ankam, brach Luther jedoch schon wenige Tage später zu seiner schweren Reise zum Wormser Reichstag auf, welcher sich der für ihn ungewollt lange Aufenthalt auf der Wartburg anschloß. Bugenhagen hatte in dieser Situation das Glück, bei Philipp Melanchthon Kost und Logis zu finden. Von diesem wurde er persönlich in der neuen, reformatorischen Theologie unterwiesen.
Als Luther im März 1522 – also nach etwa einem Jahr – wieder nach Wittenberg kam, um mit seinen sogenannten Invocavitpredigten wieder Ruhe und Ordnung in der durch die „Wittenberger Unruhen“ aufgewühlte Stadt herzustellen, war aus dem Lernenden Bugenhagen bereits ein auch in Wittenberg angesehener Lehrer geworden. Vor allem auf Melanchthons Bitten hin hatte Bugenhagen nämlich offenbar schon im November 1521 zu Beginn des Wintersemesters, also ein halbes Jahr nach seiner Ankunft in Wittenberg, begonnen, an der Universität Vorlesungen über die Psalmen zu halten.[6] Luther war es gewesen, der bis zu seiner Abreise nach Worms den Psalter für die Wittenberger Studenten ausgelegt hatte. Um die durch sein langes Fernbleiben entstandene Lücke im Lehrbetrieb einigermaßen zu schließen, kam es Melanchthon sehr entgegen, daß Bugenhagen nun exegetische Vorlesungen – ebenfalls zu den Psalmen – an der Universität hielt, die einen großen Zuspruch fanden. Bald schlossen sich parallel und dann nachfolgend zum Psalterkolleg weitere Vorlesungen Bugenhagens an. Dabei ist zu beachten, daß dieser vor seiner Wittenberger Zeit nie Theologie im engeren Sinne studiert hatte und sich also gleichsam autodidaktisch in die Schriftauslegung eingearbeitet hatte.

Lucas Cranach, Johannes Bugenhagen, 1537

Auch Luther wird recht bald nach seiner Rückkehr von der Wartburg die Lehrtätigkeit Bugenhagens an der Wittenberger Universität schätzen gelernt haben. Schon in den ersten uns von ihm erhaltenen Briefen, in denen er Bugenhagen erwähnt, bemühte er um feste Einkünfte für diesen. Dies geschah gewiß mit der Absicht, den gleichsam als „Privatdozenten" lehrenden Pommern fest an Wittenberg zu binden. In einem Brief an Georg Spalatin vom September 1522 nennt Luther Bugenhagen den zweiten Theologieprofessor nach Philipp Melanchthon „in vrbe et orbe" (in der Stadt und auf dem Erdkreis).[7] Hierbei handelt es sich unverkennbar um eine Anspielung auf den nur von einem Papst zu erteilenden Segen „Urbi et orbi". Dies weist daraufhin, daß diese Formulierung Luthers insgesamt nicht wörtlich zu verstehen ist. Freilich trifft jene Aussage präzise den Zustand an der Theologischen Fakultät im September 1522, denn zu diesem Zeitpunkt war Bugenhagen nach Melanchthon der Bibelexeget in Wittenberg, da Luther (der in Wahrheit erste Theologieprofessor) zu dieser Zeit keine Vorlesungen hielt.

Schon bei diesen ersten von Luthers Seite uns bekannten Erwähnungen Bugenhagens nennt dieser jenen – wie dann stets in den nachfolgenden Jahren – nach seinem Herkunftsland den „Pomern“ bzw. „Pomeranus“. Eine Benennung, die sich in Wittenberg wohl relativ schnell herausgebildet haben dürfte, denn auch Philipp Melanchthon, der schon im Mai 1521 die Formulierung „Bugenhagius Pomeranus“ verwendete,[8] sprach bald ebenfalls nur noch von dem „Pomeranus“. Bugenhagen selbst gebrauchte nachweislich seit November 1522 diesen Namen,[9] zumeist jedoch als Zusatz. Obgleich ihn in Wittenberg keiner mehr so genannt haben dürfte, unterschrieb er seit dieser Zeit seine Briefe fast immer mit: „Johannes Bugenhagen Pomeranus“.
Unerwartet schnell war also Bugenhagen zu einem angesehenen Schriftausleger Wittenbergs worden. Dies hieß freilich für diesen nicht, daß er selbst nun nicht mehr zu lernen brauchte. Als Luther im Februar 1523 wieder begann, Vorlesungen zu halten, wenngleich nur im kleinen privaten Kreise in seinem Hause und nicht an der Universität, war auch Pommer dabei, der die Ausführungen Luthers fleißig mitschrieb.[10] Dieser Umstand macht deutlich, daß Bugenhagen bereits zu dieser Zeit zum engeren Kreis um Luther in Wittenberg gezählt werden kann.
Obwohl insbesondere Luther sich schon seit 1522 um eine finanzielle Absicherung für Bugenhagen bemüht hatte, gelang es erst im Herbst 1523 für diesen eine feste Anstellung in Wittenberg zu bekommen. In einem „durchaus ungeordneten Verfahren”[11] erreichte es Luther, der im Hintergrund mehr oder weniger offen agierte, daß Bugenhagen im Oktober 1523 zum Wittenberger Stadtpfarrer gewählt wurde.[12] Jedoch nicht nur die materielle Absicherung Bugenhagens durfte bei dieser Wahl im Blick gewesen sein. Gewiß hatte auch dessen Lebens- und Berufserfahrung sowie seine Vertrauen erweckende Persönlichkeit ihn als den richtigen Mann für dieses Amt erscheinen lassen. Möglicherweise wird zudem Bugenhagens besonnenes Verhalten, das dieser gerade während der Zeit der Wittenberger Unruhen im Gegensatz zu anderen Anhängern Luthers an den Tag gelegt hatte, bei dieser Entscheidung mitbedacht worden sein. Mit der Übernahme des Wittenberger Stadtpfarramtes im Oktober 1523 war Bugenhagen fest in die Gruppe der Wittenberger Reformatoren eingebunden. In einem gewissen Grade mit Stolz betitelte Luther schon zu Ende desselben Jahres in seiner Vorrede für den Druck von Bugenhagens Psalterkommentar den „Pomeranus“ dann als „Episcopus Ecclesiae Wittenbergensis“ (Bischof der Kirche Wittenbergs).[13] Den Bischofs-Titel für Bugenhagen verwendete Luther übrigens auch in den folgenden Jahren oft und gern sowohl in Schreiben an Bugenhagen und in Briefen an andere gerichtet als auch in seinen öffentlichen Schriften.[14] In Bezug auf die genannte Vorrede Luthers zu Bugenhagens Psalmenkommentar von Ende 1523 sei erwähnt,

daß Luther darin nicht nur die übliche Empfehlung für dieses Werk ausdrückte, sondern darüber hinaus nun auch öffentlich seine hohe Wertschätzung für den Bibelausleger Bugenhagen zum Ausdruck brachte.
Als Universitätslehrer und seit Oktober 1523 als Wittenberger Stadtpfarrer verband Bugenhagen und Luther eine umfangreiche und vielfältige Tätigkeit, der sich bald weitere Aufgabengebiete innerhalb der Reformation anschlossen. So traten beide beispielsweise als theologische Gutachter und Berater zu den verschiedensten Angelegenheiten in Erscheinung, bald zählte auch der „Pomeranus" zu den Personen, die Luther bei der Bibelübersetzung unterstützen.[15] Die Grenzen zwischen dem Sachlich-Amtlichen und dem Persönlichen bei Luther und Bugenhagen wurden recht schnell „ständig fließender."[16]
Als Stadtpfarrer traute Bugenhagen am 13. Juni 1525 Luther und Katharina von Bora. Fast genau ein Jahr später bei der Taufe des ersten Sohnes des Ehepaares Luther am 7. Juni 1526 stand u. a. dann auch Johannes Bugenhagen Pate. Als ein Zeichen der zunehmenden Verbundenheit zwischen Luther und dem „Pomeranus" darf gewertet werden, daß Luther seinen ersten Sohn gerade nach diesem Paten benannte.[17] Dieser Umstand weist darauf hin, daß die Freundschaft zwischen Bugenhagen und Luther nicht nur auf die beiden Männer beschränkt war, sondern auch auf die Familien ausgeweitet wurde. An dem Schicksal der Frau und Kinder des jeweils anderen nahm man stets regen Anteil.[18]
Mit der Übernahme des Wittenberger Stadtpfarramtes war Bugenhagen offiziell der auch für Luther zuständige Pastor, Beichtvater und Seelsorger geworden. Wie wichtig dies für Luther war, zeigte sich beispielsweise bei dem körperlichen und zugleich seelischen Zusammenbruch, den dieser am 6. Juli 1527 erlitt. Dieser Zusammenbruch war wohl der erste, der zugleich lebensbedrohlich für Luther war, wenigstens wurde es so von Luther selbst und seinen Mitarbeitern interpretiert. Überliefert ist hierzu ein Bericht, der bis ins Detail die Ereignisse dieses Tages wiedergibt. Verfaßt wurde diese Schilderung von Justus Jonas und vor allem von Bugenhagen. Es ist die einzige erhaltene ausführlichere Darstellung Bugenhagens, die aus dessen Sicht sein seelsorgerisches Wirken an Luther beschreibt.[19]
Demnach wurde Bugenhagen am 6. Juli 1527 von Luthers Diener ungewöhnlicherweise bereits um 8 Uhr morgens gebeten, „eilend" zu Luther zu kommen. Als der „Pomeranus", der sich umgehend aufgemacht hatte, bei Luther ankam, verlangte dieser zu beichten. Bugenhagen und Luther zogen sich dazu zurück. Luther bekannte seine Sünden und – wie Bugenhagen es ausdrückte – „der Meister bat von seinem Schüler das Wort der Tröstung Gottes aus der Hl. Schrift". Des weiteren wünschte Luther von Bugenhagen, daß er für ihn bete. Die wohl im Zusammenhang des Beichtgespräches von Luther

gebrauchte Wendung: „Will der Herr mich jetzt rufen, so geschehe es“ hatte Bugenhagen freilich etwas verwundert. Im Anschluß an die eigentliche Beichte schloß sich ein längeres Gespräch zwischen Luther und seinem Seelsorger an, in dem Luther ausführlich von seinen in der Nacht zuvor durchlebten geistlichen Anfechtungen berichtete, die ihn schwer erschüttert hatten. Dieses seelsorgliche Gespräch dürfte sich über mehrere Stunden hingezogen haben, denn Bugenhagen erzählt: „Da ich so mit ihm allein handelte, war es schon an die Stunde, daß man das Mittagsmahl halten sollte.“ (d. h. später Vormittag). Luther hatte hierzu mit den anderen Wittenberger Reformatoren eine Einladung von einigen Adligen, die er unter diesen Umständen eigentlich nicht annehmen wollte. Bugenhagen berichtet jedoch weiter: „Ich ermahnte seine Frau, daß er nicht sollte allein zu Haus bleiben.“ Der Seelsorger Bugenhagen erkannte also, daß es für Luther in diesem Zustand besser sein würde, wenn er unter Leute käme. So nahm Luther am Essen teil, aß aber nach Bugenhagens Bericht wenig. Nach dem Mittagessen mußte der Stadtpfarrer Luther verlassen, weil er zu predigen hatte. Luther jedoch führte danach noch ein längeres Gespräch mit Justus Jonas über seine schweren Anfechtungen. Am Ende dieses Gespräches lud er diesen und seine Frau zum Abendessen ein. Als jene so etwa nach fünf Uhr kamen, hatte Luther sich bereits hingelegt, weil er sich unwohl fühlte. Luther klagte über starkes Ohrensausen und alsbald überfiel ihn eine Ohnmacht. Als er sich davon erholte, begann er inbrünstig zu beten, denn er meinte, nun würde er bald sterben. In dieser Situation wurde sowohl Luthers Leibarzt Augustin Schurf als auch sein Seelsorger Bugenhagen gerufen. Immer wieder erlitt Luther weitere Schwächeanfalle. Er betete, wenn es ihm möglich war, und bat die Umstehenden für ihn zu beten. Als diese sprachen, daß der Herr seinen Diener doch nicht von ihnen nehmen sollte, sagte Luther an Bugenhagen gerichtet: „Mein lieber Herr Pfarrherr, ich habe euch heute gebeichtet, und ihr habt mir eine Absolution gesprochen, das ist mir lieb.“ Glücklicherweise schlug bald die Behandlung des Arztes an und Luther erholte sich langsam. Am Abend des nächsten Tages konnte er bereits wieder aufstehen.

Unverkennbar bei den Ereignissen des 6. Juli 1527 ist der Zusammenhang der geistlichen Anfechtung und der Ausbruch des körperlichen Zusammenbruchs bei Luther. Modern gesagt: der psychisch-physische Zusammenhang der Erkrankung. Weil Luther seine Erkrankung vom Glauben her sah, brauchte er in dieser Lage nicht nur die Hilfe eines Arztes, sondern war zudem auf den Beistand seines Seelsorgers Bugenhagen angewiesen, der seine Aufgabe sehr ernst nahm.

Nicht zu unterschätzen in ihrer Bedeutung für die enge Freundschaft Bugenhagens und Luthers sind dann auch die nachfolgenden Ereignisse in der zwei-

Stadtpfarrer Johannes Bugenhagen als Beichtvater,
Altar der Stadtkirche Wittenberg, 1547

ten Hälfte des Jahres 1527 und zu Anfang des Jahres 1528. Im Sommer 1527 begann in Wittenberg die Pest zu grassieren, die erst zu Ende November diesen Jahres langsam abklang und zu Anfang des kommenden Jahres eingedämmt werden konnte. Die Universität – unter ihnen auch Melanchthon – war größtenteils nach Jena ausgewichen. Obwohl es Luther angeraten worden war, ebenfalls die Stadt zu verlassen, blieb er die Zeit der Pest in Wittenberg. Freilich war Luther, insbesondere in den Monaten Oktober und November von körperlicher Schwäche, schweren Anfechtungen und steter Traurigkeit geplagt. Der Tod in seiner nächsten Umgebung erschütterte ihn zutiefst. Er selbst fühlte sich wie ein elender und verworfener Wurm.[20] Unter diesen Umständen zog Bugenhagen, der es als Stadtpfarrer ebenfalls für seine Pflicht gehalten hatte, in Wittenberg zu verbleiben, samt seiner Familie in Luthers Haus. Dieses geschah, wie Luther in einem Brief vom November 1527 bekannte, „non tam sui quam mei causa“ (nicht so sehr aufgrund seinet-

als vielmehr um meinetwillen).[21] Luther wollte demnach in der Situation der ständigen Anfechtung stetig seinen Seelsorger in seiner unmittelbaren Nähe haben. Damit wird deutlich, daß Luther, der einerseits in der Öffentlichkeit als ein großer selbständiger Denker in Erscheinung trat, andererseits doch ein „lebhaftes Anlehnungsbedürfnis“[22] besaß. In der Zeit der Anfechtungen war auch dieser wegweisende Theologe auf das tröstende Wort seines Seelsorgers angewiesen.

Über ein halbes Jahr, bis ins Jahr 1528 hinein, verbrachten Bugenhagen und Luther so in engster Gemeinschaft. Im nachhinein erinnerte sich Luther oft an diese Monate, in denen er viele Male starken seelsorgerlichen Zuspruch von Bugenhagen erhalten hatte. So konnte sich Luther noch vier Jahre später genau daran erinnern, daß Bugenhagen, als sie zusammen zu Tische saßen und er bekümmert und traurig war, ihn mit folgenden Worten getröstet hat: „Unser Herr Gott gedenkt ohne Zweifel im Himmel: Was soll ich doch mit diesem Menschen mehr machen? Ich hab ihme so viel herrlicher großer Gaben gegeben, noch will er an meiner Gnaden verzweifeln!“[23] Bugenhagen betrieb also seine Seelsorge an Luther schlicht damit, daß er treu bei seiner evangelischen Verkündigung blieb und auch Luther an Gottes Gnadenwirken erinnerte. Nach Luthers eigenem Zeugnis waren ihm diese Worte des „Pomeranus“ eine wahre Tröstung, und zwar in einem Maße, das selbst Bugenhagen nicht bewußt gewesen sein soll. Luther scheute bei der späteren Erzählung dieser Episode nicht den großen Vergleich. So war ihm dieser Zuspruch Bugenhagens gleichwie als ob eine „angeli vox“ (Stimme eines Engels) zu ihm gesprochen hätte. Ein andermal konnte Luther sogar sagen, wenn Bugenhagen ihm ein Wort aus dem Evangelium zuspricht, so sei es für ihn, als ob „Gott im Himmel selber [es] gesaget“ habe.[24]

Eine weitere Begebenheit, die sich mit Sicherheit ebenfalls in dieser Pestzeit, möglicherweise im März des Jahres 1528 abgespielt haben dürfte, wird von Luther in einer der späteren Tischreden überliefert.[25] Auch dieser Bericht gewährt einen recht genauen Einblick in die Seelsorgepraxis Bugenhagens an ihm. Wie Luther erzählte, war es bei ihm zu einer schweren Anfechtung in Folge der Betrachtung von 1. Tim 5,11 gekommen, wo es heißt: „Der jungen Witwen entschlage dich (= entziehe dich), denn wenn sie geil geworden sind wider Christum, so wollen sie freien und haben ihr Urteil, daß sie den ersten Glauben gebrochen haben.“ Luther verstand sich bei dem Nachsinnen über diesen Vers als vom Teufel selbst geplagt und erwürgt, und zwar so sehr – wie er es sagte – „das mir das hertz im leyb schmelzen wollt“. Der Teufel hätte ihm vorgehalten, daß er die Ursache dafür wäre, daß so viele Mönche und Nonnen aus den Klöstern gingen. Zudem hätte der Teufel ihm den Artikel der Rechtfertigung aus den Augen genommen und ihm nur noch diese eine Text-

stelle vorgehalten. Von der Gnade sei er vom Teufel zur „disputatio“ (Auseinandersetzung) über das Gesetz geführt worden. In diesem Zustand trat Bugenhagen zu ihm. Luther begann umgehend seinem Seelsorger von seinem Ringen mit dem Teufel zu erzählen und er ging dazu „mit ihm auf den gang“. Freilich begann Bugenhagen nun selbst, an dem Verständnis dieses Verses aus dem 1. Timotheusbrief zu zweifeln. Nach Luthers Meinung erkannte zudem der „Pomeranus“ nicht die Ausmaße seiner Anfechtung. Luthers Schrecken wurde von daher noch größer und er fand die ganze folgende Nacht keine Ruhe darüber. Am nächsten Tag kam Bugenhagen wieder zu ihm. Nun konnte er den erhofften Trost spenden. Der Pommer sagte, daß er sich den Text recht angesehen habe und er richtete Luther lediglich mit den Worten auf, daß es „ein lächerliches Argument“ sei, was ihn da bewegt habe. Zudem verwies er ihn dann offenbar nur noch auf Christus, der nicht verderben, sondern erretten wolle. Luther nahm dies alles dankbar auf. So ist auch hierbei klar erkennbar, daß Bugenhagens Seelsorge an Luther auf den persönlichen Beistand fußte und die einfache Erinnerung an das Wort Gottes, an seine errettende Zusage beinhaltete. Den steten Rückbezug auf das Wort Gottes könnte man als ein Kennzeichen des seelsorglichen Gespräches Bugenhagens an Luther bezeichnen. In dieser eigentlich so simplen Tatsache liegt der Grund dafür, daß der „Pomeranus“ den großen Theologen Luther wirklich trösten konnte. Entscheidend dabei war, daß Luther Bugenhagens Worte gleichsam als Gottes Wort verstand. Es ist durch Luther überliefert, daß er von Bugenhagen streng ermahnt wurde, seine in der Seelsorge zu ihm gesprochenen Worte stets als Gottes Wort an ihn gerichtet zu verstehen.[26]
Zur Einschätzung des Stellenwertes von Bugenhagens Seelsorge an Luther ist freilich mit zu berücksichtigen, daß der „Pomeranus“ nicht allein an Luther Seelsorge trieb. Nach Luthers Zeugnis hätten ihn auch Philipp Melanchthon, Justus Jonas oder auch seine Käthe vielmals getröstet.[27] Bugenhagen jedoch war unter diesen Personen zweifellos der „wichtigste und wirksamste“ Seelsorger.[28] Bald nach der Normalisierung des Lebens nach der schweren Pest in Wittenberg im Frühjahr 1528 folgte Bugenhagen im Mai 1528 einem Ruf nach Braunschweig, um dort im Sinne Wittenbergs kirchenorganisatorisch tätig zu sein. Es war dies das erste Mal, daß der Stadtpfarrer für längere Zeit von Wittenberg „ausgeliehen“ wurde. Diese längeren Aufenthalte in Norddeutschland bzw. Dänemark, die Bugenhagen bis ins Jahr 1542 hinein unternahm, konnten zwischen etwa einem halben Jahr bis zu über zwei Jahren andauern. Bei dem Fernbleiben Bugenhagens 1528/29, wie dann bei allen seinen folgenden längeren Aufenthalten außerhalb Wittenbergs, übernahm stets Luther – gleichsam als einen Freundschaftsdienst – dessen Aufgaben als Stadtpfarrer von Wittenberg. Das hieß vor allem dreimal pro Woche predi-

gen. Neben der Sonntagspredigt standen Bugenhagen bzw. dann Luther zudem samstags und mittwochs auf der Kanzel. Auch die anderen pfarramtlichen Aufgaben übernahm Luther von Bugenhagen während der Monate seiner Abwesenheit. So ist beispielsweise aus dem Jahre 1542 von Luther eine öffentliche seelsorgerliche Vermahnung an die Universität und Stadt Wittenberg erhalten, die er ausdrücklich in der Vertretung des Stadtpfarrers Bugenhagen herausgab.[29] Freilich war die Länge des Fernbleibens Bugenhagens aus Wittenberg nie in dem Maße geplant, wie sie dann letztlich eintrat. So schrieb Luther am 12. Mai 1529 an seinen Landesherrn Kurfürst Johann, er möge doch Bugenhagen zurückordern.[30] Dieser nämlich war nach seinem Aufenthalt in Braunschweig im Oktober 1528 nach Hamburg gegangen, um ebenfalls dort für die Festigung der Reformation tätig zu sein. Da nun die Hamburger Bugenhagen für immer bei sich behalten wollten, sah Luther keinen anderen Ausweg als den „Pomeranus" offiziell zurückzubeordern. In seinem Schreiben an Kurfürst Johann vom 12. Mai 1529 erwähnt Luther zudem, daß außerdem die Wittenberger Universität und Vertreter der Stadt Bugenhagen zurückfordern werden. Natürlich stand hinter diesem allen, daß Luther selbst nicht auf Bugenhagen verzichten wollte. Der Kurfürst stellte die von Luther gewünschte Order aus.[31] Einen Monat später traf Bugenhagen in Wittenberg ein. Im folgenden Jahr 1530 wurde die Lebens- und Arbeitsgemeinschaft zwischen Bugenhagen und Luther wieder, nun zuerst durch Luthers Aufenthalt auf der Veste Coburg im Zusammenhang mit dem Augsburger Reichstag von April bis Oktober unterbrochen. Als typisch für die enge Bindung Luthers an Bugenhagen darf gelten, daß Luther sich in dieser Situation, in der er auf der Veste Coburg zurückbleiben mußte und sich dort sehr einsam fühlte, gern an die einstigen Tröstungen des „Pomeranus" erinnerte.[32] Bugenhagen seinerseits war als Stadtpfarrer in Wittenberg zurückgeblieben, und beide führten während dieser Monate einen Briefwechsel. Leider ist dieser nur sehr bruchstückhaft überliefert. Weit mehr erhalten ist von dem gleichzeitigen Briefwechsel Luthers mit seiner Frau Katharina. Auch diese Briefe sind äußerst aufschlußreich für die Beziehung Luthers zu Bugenhagen, denn in fast jedem der Schreiben Luthers an seine Frau wird der „Pomer" erwähnt. So soll einmal ebenfalls Bugenhagen die an Käthe mitgeschickten Briefe lesen.[33] Ein andermal wird Katharina gebeten, dem „Pomeranus" von allem zu erzählen und ihm auszurichten, daß er bald schreiben werde.[34] Mit einem weiteren Brief sandte Luther lateinische Schreiben mit, die Bugenhagen ihr übersetzen solle.[35] Wiederum mit einem anderen Brief an Käthe schickte er das Manuskript seiner Schrift „Von den Schlüsseln" mit, das seine Frau auch Bugenhagen zeigen sollte. Wenn ihm die Schrift gefalle, so solle diese in Wittenberg gedruckt werden.[36]

Luther und seine Wittenberger Freunde, Titelholzschnitte von Aurifabers Ausgabe „Tischreden" Luthers, 1569

Als Luther im Oktober 1530 wieder in Wittenberg ankam, machte sich noch im gleichen Monat Bugenhagen nach Lübeck auf, um ebenfalls dort die Reformation durch sein kirchenorganisatorisches Wirken zu festigen. Dieser Aufenthalt dauerte bis Mai 1532 und war damit wiederum weit länger als zuvor erwartet. Von daher ist es nur allzu verständlich, daß Luther angesichts der langen Vertretungszeit oft über die Mehrarbeit klagte.[37]
Nach dessen Rückkehr aus Lübeck blieben Bugenhagen nicht einmal zwei volle Jahre für eine kontinuierliche Arbeit in Wittenberg. Da Bugenhagen zudem zu dieser Zeit noch die Superintendentur für den rechtselbischen Teil des Kurkreises übertragen wurde, war er in Folge der nötigen Visitationen in diesem Gebiet des öfteren außerhalb Wittenbergs unterwegs. Zeitweise wurde der „Pomeranus" bei diesen Visitationen von keinem Geringeren als Luther vertreten.[38] Vom November 1534 bis Sommer 1535 weilte Bugenhagen dann erneut in Norddeutschland. Nun durfte er in seinem Heimatland Pommern auf Bitten der dortigen Herzöge die Reformation einführen und anschließend gleichfalls in diesem Gebiet visitieren.

Vom Sommer 1535 an bis zu seinem Aufbruch zu dem zweijährigen Aufenthalt in Dänemark im Sommer 1537 war es Bugenhagen wieder für eine längere Zeit vergönnt, seinen Wittenberger Pflichten am Universitätskatheder und vor allem auf der Kanzel der Stadtkirche nachzugehen. Nach den vielen erhaltenen Aussprüchen in den Tischreden zum Prediger Bugenhagen zu urteilen, muß Luther ein eifriger Zuhörer der Predigten des Wittenberger Stadtpfarrers gewesen sein. Luther, selbst ja ein begnadeter Prediger, gestand vor anderen gern ein, daß auch er von den Predigten des „Pomeranus" oft viele Punkte zum weiteren Nachdenken mitnehmen konnte.[39] Freilich überwiegt in seinen erhaltenen Urteilen über Bugenhagens Predigten die freundschaftliche Kritik. So beklagte Luther beispielsweise, daß Bugenhagen oft nicht beim Thema bleibe.[40] Damit eng verbunden tadelte er etliche Male dessen allzu lange Predigten. So wurde Luther einmal gefragt, was ein guten Prediger ausmache. Unter den mehreren Punkte die er nannte, war auch dieser, daß ein Prediger die Gabe haben müsse, wieder von der Kanzel zu steigen, d. h. nicht über eine Stunde zu predigen. Dazu fügte Luther die Bemerkung an, daß der „Pomeranus" dieses „ubel gfelt".[41] Das allzu lange Predigen Bugenhagens muß kein Einzelfall gewesen sein. In Luthers Tischreden ist hierzu eine sehr bezeichnende Anekdote überliefert. Nach dieser wurde einem Ehemann von seiner Frau am Sonntag ein noch nicht durchgekochtes Essen auf den Tisch gebracht. Die Frau kommentierte dieses lapidar mit den Worten: „O, ich meinte, es wurde Pommer heut predigten!"[42] Bei allen diesen eher negativen Urteilen Luthers an Bugenhagens Predigtstil ist jedoch ebenso zu sehen, daß Luther in Bugenhagen einen rechten, frommen und treuen Prediger sah und er schon die Zeit beklagte, da dieser nicht mehr auf Erden wäre.[43] Von daher ist es verständlich, daß Luther dessen Predigtweise gegen Kritik, auch von seiner eigenen Frau, verteidigen konnte.[44] Dieses Inschutznehmen der Schwächen und Fehler Bugenhagens weist auf die enge Bindung Luthers an Bugenhagen hin. Begründet war diese Verbundenheit vor allem in der steten Seelsorge des Pommern an Luther. Wie sehr er diese schätze, zeigte sich beispielsweise im Juni 1534, als Luther dem Fürst Joachim von Anhalt in seinem schwermütigen Zustand wieder aufhelfen wollte. Bei einem in Aussicht gestellten Besuch schrieb Luther an Fürst Joachim, werde er den „Pomeranus" mitbringen. In der Hoffnung auf Bugenhagens seelsorgerliche Fähigkeiten meinte er, daß dieser sicher den Fürsten aufheitern werde.[45]

Jedoch war Luther selbst seit den dreißiger Jahren von vielen Leiden, die ihm mehr oder weniger stetig zusetzen, langsam lebensmüde geworden.[46] Hier stand der Seelsorger Bugenhagen ihm, wenn er nicht außerhalb Wittenberg weilte, beharrlich zur Seite. So konnte Bugenhagen Luther etwa bei dessen schwerer Erkrankung auf dem Bundestag zu Schmalkalden im Februar 1537

seinen seelsorgerischen Trost zusprechen.[47] Luther, von einem starken Harnleiden geplagt, meinte bei diesem Zusammenbruch wiederum vor seinem Ende zu stehen. Zwar besserte sich sein Zustand auf der Rückfahrt von Schmalkalden nach Wittenberg zusehends, jedoch war Luther weiterhin von Todesahnung getrieben. Unter diesen Verhältnissen beichtete er Bugenhagen nicht nur, sondern vertraute seinem Seelsorger zudem letztwillige Aufträge, sein erstes Testament, an. Glücklicherweise wurde Luther wieder gesund, wenngleich er sich nur sehr langsam erholte.
In den folgenden Jahren erlebte Luther oft weitere gesundheitliche Zusammenbrüche, bei denen er meinte, dem Tode nahe zu sein. Gleich an mehreren Dingen hintereinander erkrankte Luther im Jahre 1541. Von seinem Kurfürsten Johann Friedrich wurde ihm daraufhin sogar dessen eigener Leibarzt geschickt. Als Luther es dann wieder besser ging, schrieb er diese Gesundung vor allem aber den anhaltenden Fürbitten des „Pomeranus" zu. In einem Brief Luthers vom 25. April 1541 an Kurfürst Johann Friedrich heißt es nämlich: „Ich hette wol gern gesehen, das mich der liebe herr Jhesus hette mit gnaden weggenommen, der ich doch nü mehr wenig nütze bin auff erden. Aber der Pommer hat mit seinem anhalten mit furbitten ynn der kirchen solchs (meins achtens) verhindert."[48]
Auf eine schwere Probe wurde die Beziehung zwischen Bugenhagen und Luther im Frühjahr 1544 gestellt, als der „Pomeranus" von den pommerschen Herzögen zum Bischof von Kamin und somit gleichsam zum geistlichen Oberhaupt seiner Heimat nominiert worden war.[49] Bugenhagen jedoch entschied sich für das „recht warhaftig bischoflich Ampt"[50] zu Wittenberg und damit auch für das Bleiben in der Nähe Luthers.
So war es Bugenhagen möglich, am 22. Februar 1546 in der Wittenberger Schloßkirche die Leichenpredigt für seinen langjährigen Freund zu halten. In dieser Predigt setzte der „Pomeranus" Luther mit dem Engel aus Offenbarung 14,6, der das ewige Evangelium vor dem Fall Babels verkündigte, gleich.[51] Als bezeichnend für die Beziehung zwischen ihm und Luther darf gelten, daß Bugenhagen sich in dieser Predigt an so manches seelsorgliches Gespräch mit Luther erinnerte, in dem jener seine Hoffnung geäußert hatte, bald zu sterben und Bugenhagen stets versucht hatte, solche Gedanke zu vertreiben.[52]
Die hier gegebenen Ausführungen wollten einen Einblick in die persönliche Beziehung Luthers zu Johannes Bugenhagen geben. Deutlich wurde, daß diese nicht nur eine Freundschaft zwischen zwei Kollegen war. Für Luther bedeutete die enge Lebens- und Arbeitsgemeinschaft mit dem Pommern weit mehr. Ein Vergleich ist hier wohl nicht übertrieben: die Stellung, die einst der Ordensvikar Johann v. Staupitz in den Jahren der schweren Anfechtungen

Luthers in seiner Klosterzeit eingenommen hatte, übernahm seit 1523 bis zum Ende seines Lebens Bugenhagen. Er war die Person, der Luther sein Herz ausschüttete und die wie einst v. Staupitz ihn durch ein einfaches Wort im Glauben wiederaufrichten konnte. Hier liegt m. E. die große Bedeutung Bugenhagens für den Menschen Martin Luther. Es handelt sich dabei um eine Unterstützung seines Werkes, welche verdient, eine weit größere Beachtung als bisher geschenkt zu bekommen.

Anmerkungen

1 Johannes Bugenhagen: Eine Christliche Predigt / vber der Leich vnd begrebnis / des Ehrwirdigen D. Martini Luthers. Wittenberg 1546, Bl. Aii [b]. Nachdruck in: „Vom Christlichen abschied aus diesem tödlichen leben des Ehrwirdigen Herrn D. Martini Lutheri". Drei zeitgenössische Texte zum Tode D. Martin Luthers. Mit einer Einführung von Peter Freybe und einem Nachwort von Siegfried Bräuer, Stuttgart 1996.

2 Die Beziehung Luthers zu Bugenhagen wurde schon mehrfach, dabei stets mit unterschiedlichen Akzenten, in verschiedenen Aufsätzen thematisiert. Hervorzuheben sind die Arbeiten von Heinz Mülbe: Bugenhagen im Urteil Luthers. In: Wartburg, 34. Jahrgang, 1935, S. 198-203; Klaus Harms: Bugenhagen im Schrifttum Luthers. In: Johann Bugenhagen. Beiträge zu seinem 400. Todestag. Hg. von Werner Rautenberg, Berlin 1958, S. 24–50; Ernst Kähler: Bugenhagen und Luther: Stücke aus ihrem gegenseitigen Verhältnis. In: ebd., S. 108–122; Hans-Günter Leder: Luthers Beziehungen zu seinen Wittenberger Freunden. In: Leben und Werk Martin Luthers von 1526 bis 1546. Festgabe zu seinem 500. Geburtstag. Hg. von Helmar Junghans, 2 Bd., Göttingen / Berlin 1983, S. 419–440, insb. S. 428 bis 432 sowie S. 863–870, insb. S. 866–868; sowie Hans-Peter Hasse: Luther und seine Wittenberger Freunde. Zum Erscheinungsbild einer Gruppe in der Kunst und Publizistik des 16. Jahrhunderts. In: Der Mensch Luther und sein Umfeld. Wartburg-Jahrbuch. Sonderband 1996 (Eisenach), S. 84–119, insb. S. 111–113.

3 Da bis heute eine neuere Bugenhagen-Biographie fehlt, sei zu Angaben, die allgemein Bugenhagen betreffen, auf das Lebensbild von Hans-Günter Leder: Johannes Bugenhagen Pomeranus, Leben und Wirken. In: Johannes Bugenhagen. Gestalt und Wirkung. Beiträge zur Bugenhagenforschung. Hg. von Hans-Günter Leder, Berlin 1984, S. 8–37, verwiesen. Dort finden sich weitere Literaturhinweise.

4 Zu Bugenhagens Kontakt mit dieser Luther-Schrift sowie zur Bedeutung der Lektüre dieses Traktates für seine Hinwendung zu Luther vgl. Anneliese Bieber: Johannes Bugenhagen zwischen Reform und Reformation. Die Entwicklung seiner frühen Theologie anhand des Matthäuskommentars und der Passions- und Auferstehungsharmonie. Göttingen 1993, (Forschungen zur Kirchen- und Dogmengeschichte, Bd. 51), S. 215 ff..

5 Vgl. dazu Ernst Kähler: Bugenhagen und Luther (s. oben Anm. 2), S. 112f..

6 Zu dieser Vorlesung sowie zu dem weiteren akademischen Wirken Bugenhagens in Wittenberg vgl. Volker Gummelt: Bugenhagens Tätigkeit an der Wittenberger Universität. Zeitschrift für Kirchengeschichte, 105. Jahrgang, 1994, S. 191–201.

7 WA Br 2, Nr. 536, S. 598.

8 Vgl. die an Bugenhagen gerichtete Vorrede Melanchthons zu seiner griechischen Textausgabe des Römerbriefes vom Mai 1521. In: Melanchthon-Briefwechsel. Hg. von Heinz Scheible, Stuttgart-Bad Canstadt 1991, Texte Bd. 1, Nr. 142, S. 292f..

9 Vgl. Bugenhagens Brief an Georg Spalatin vom 27. November 1522, abgedruckt in: Dr. Johannes Bugenhagens Briefwechsel. Gesammelt und hg. von Otto Vogt, Stettin 1888, Nachdruck Hildesheim 1966, Nr. 5, S. 9f..

[10] Vgl. WA 14, S. 489f., 494f., sowie S. 745-753.
[11] Ernst Wolf: Johannes Bugenhagen. Gemeinde und Amt (1935). In: Peregrinatio. Bd. 1, 2. Auflage, München 1962, S. 259.
[12] Zu dem Vorgang insgesamt vgl. Hans-Günter Leder: Die Berufung Johannes Bugenhagens in das Wittenberger Stadtpfarramt. In: Theologische Literaturzeitung, 114. Jahrgang, 1989, Sp. 481-504.
[13] WA 15, S. 8.
[14] Vgl. dazu beispielsweise Luthers Briefe an Bugenhagen vom 24. November 1531, WA Br 6, Nr. 1886, S. 231f., oder an Leonhard Beyer vom 1. November 1542, WA Br 10, Nr. 3806, S. 171f., sowie die Vorrede Luthers zu der von Bugenhagen herausgegebenen Ausgabe von „Anthanasii libri contra idolatriam" von 1532, WA 30, III, S. 530. Vgl. zu dem WA TR 3, Nr. 3685, S. 530.
[15] Zu der engen Arbeitsgemeinschaft zwischen Luther und Bugenhagen vgl. Hans-Günter Leder: Luthers Beziehungen (s. oben Anm. 2), S. 430.
[16] Ebd.
[17] Vgl. WA Br 4, S. 87, Anm. 4.
[18] Vgl. dazu Klaus Harms: Bugenhagen im Schrifttum Luthers (s. oben Anm. 2), S. 28–34.
[19] Der Bericht Bugenhagens ist unter dem Titel „De tentationibus et infirmitate D. M. Lutheri non contemnenda historia" abgedruckt in: Dr. Johannes Bugenhagens Briefwechsel (s. oben Anm. 9), Nr. 22, S. 64–73. Vgl. zudem die in: WA TR 3, Nr. 2922b, S. 81-90, abgedruckte Fassung des Berichtes von Bugenhagen und Jonas. Eine deutsche Übersetzung davon findet sich in: Dr. Martin Luthers sämmtliche Schriften. Hg. von Johann Georg Walch (W^2), Bd. 21, St. Louis 1903, Sp. 985–996.
[20] Vgl. Martin Brecht: Martin Luther. Ordnung und Abgrenzung der Reformation. 1521-1532, Stuttgart 1986, S. 205-208.
[21] Brief Luthers an Nikolaus Hausmann vom 7. November 1527, WA Br 4, Nr. 1166, S. 277.
[22] Karl Holl: Luthers Urteile über sich selbst (1903). In: Gesammelte Aufsätze zur Kirchengeschichte. Bd. I, Luther, 7. Auflage, Tübingen 1948, S. 359.
[23] WA TR 1, Nr. 122, S. 47 bzw. S. 50.
[24] Ebd., Nr. 505, S. 230.
[25] Vgl. ebd., Nr. 141, S. 62f. bzw. 66 sowie WA TR 2, Nr. 1263, S. 141f. Zur Datierung dieser Geschichte vgl. Ernst Kähler: Bugenhagen und Luther (s. oben Anm. 2), S. 121, Anm. 29.
[26] Vgl. WA TR 2, Nr. 2268b, S. 389 bzw. 390.
[27] Vgl. dazu beispielsweise WA TR 1, Nr. 505, S. 229 bzw. 231.
[28] So auch die Einschätzung von Ernst Kähler: Bugenhagen und Luther (s. oben. Anm. 2), S. 116.
[29] Vgl. WA 53, S. 209-212. Bugenhagen war zu dieser Zeit in Schleswig und Holstein tätig. Schon im Juni 1538 hatte Luther als Stellvertreter Bugenhagens, als dieser in Dänemark weilte, eine öffentliche Ermahnung an die Wittenberger verfaßt. Vgl. WA 50, S. 350f..
[30] Vgl. WA Br 5, Nr. 1419, S. 67f..
[31] Vgl. ebd., Nr. 1421, S. 71f..
[32] Vgl. Luthers Brief an Melanchthon vom 30. Juni 1530, ebd., Nr. 1611, S. 411f..
[33] Vgl. Luthers Brief an Katharina Luther vom 5. Juni 1530, ebd., Nr. 1582, S. 347f..
[34] Vgl. Luthers Brief an Katharina Luther vom 14. August 1530, ebd., Nr. 1682, S. 544f..
[35] Vgl. Luthers Brief an Katharina Luther vom 15. August 1530, ebd., Nr. 1683, S. 545.
[36] Vgl. Luthers Brief an Katharina Luther vom 8. September 1530, ebd., Nr. 1713, S. 608f..
[37] Vgl. beispielsweise Luthers Brief an Veit Dietrich vom 13. November 1530, ebd., Nr. 1750, S. 681f., sowie sein Brief an Johann Brießmann vom 24. August 1531, WA Br 6, Nr. 1858, S. 169f..
[38] Vgl. Martin Brecht: Martin Luther. Die Erhaltung der Kirche. 1532–1546, Stuttgart 1987, S. 17f..
[39] Vgl. WA TR 3, Nr. 3494, S. 357.

[40] Vgl. WA TR 5, Nr. 5489, S. 184 bzw. 185.
[41] WA TR 4, Nr. 5171, S. 692.
[42] Ebd., Nr. 4996, S. 592.
[43] Vgl. WA TR 5, Nr. 6399, S. 642.
[44] Vgl. ebd., Nr. 5489, S. 184 bzw. 185.
[45] Vgl. Luthers Briefe an Fürst Joachim von Anhalt vom 9. Juni 1534, WA Br 7, Nr. 2116, S. 70, sowie vom 12. Juni 1534, ebd., Nr. 2119, S. 73f..
[46] Zu den Erkrankungen Luthers in seinen letzten Lebensjahren vgl. Martin Brecht: Martin Luther. Die Erhaltung der Kirche. 1532–1546, Stuttgart 1987, S. 229–234.
[47] Vgl. zu Folgenden die Ausführungen in WA Br 8, S. 54-56.
[48] WA Br 9, Nr. 3604, S. 380f..
[49] Vgl. dazu die Ausführungen in WA Br 10, S. 573-575.
[50] So Bugenhagen in seinem Schreiben an die pommerschen Gesandten vom 31. Juli 1544. In: Dr. Johannes Bugenhagens Briefwechsel (s. oben Anm. 9), Nr. 140, S. 288-293, insb. S. 289.
[51] Vgl. Johannes Bugenhagen: Eine Christliche Predigt / vber der Leich vnd begrebnis / des Ehrwirdigen D. Martini Luthers (s. oben Anm. 1), Bl. [A iij a/ B a].
[52] Vgl. ebd., Bl. C ij [a/b].

„Meine Liebe zu Dir ist beständiger als Frauenliebe“.

Johannes von Staupitz (†1524) und Martin Luther

Von Richard Wetzel

Freundschaft und Reformation

Eine der bewegendsten Erfahrungen meines berufsbedingt alltäglichen Umgangs mit der Reformationsgeschichte ist die Beobachtung, wie viele Freundschaften die Reformation zerstört oder auf eine harte Probe gestellt hat oder gar nicht erst hat zustande kommen lassen.

Ein Beispiel für jede Fallgruppe möge genügen.

Christoph Scheurl war einst von Staupitz in Bologna für eine Wittenberger Jura-Professur angeworben worden, aber bald als Ratskonsulent in seine Nürnberger Heimat zurückgekehrt. Als Sprecher der dortigen Freunde von Staupitz, sowie Übersetzer und Herausgeber seiner Nürnberger Adventspredigten 1516 – unter dem Titel Von der entlichen volziehung ewiger fürsehung. 1517[1] – richtete er in Humanistenart einen Freundschaftsantrag an Luther (Weimarer Luther-Ausgabe Briefe [hinfort: WAB] Nr. 32). Dieser antwortete eher entmutigend (WAB Nr. 33). Scheurl wurde dann das erste Opfer des Streits, in welchen der ihm ebenfalls befreundete Johannes Eck Luther hineinzog (WAB Nr. 36 u.ö.; Melanchthons Briefwechsel[2] [hinfort MBW] Nr. 56, Nr. 80).

Die Freundschaft zwischen Willibald Pirckheimer und Johannes Oekolampad ging in einer von Pirckheimer zuletzt wüst und würdelos geführten Flugschriften-Kontroverse über das Abendmahl zugrunde.

Die beim Studium in Tübingen über gemeinsamer Hesiod-Lektüre geschlossene Freundschaft Johannes Oekolampads mit Melanchthon wurde wohl nur durch des ersteren Tod vor dem endgültigen Bruch bewahrt. Dabei hatte alle gelehrte Welt in Melanchthons Brief von der Leipziger Disputation (MBW 59) lesen können, der Geist Christi als Stifter ihrer Freundschaft setze die von Aristoteles aufgestellte Grundregel – Wohltat um Wohltat – außer Kraft (ebd. 17 ff).

Das hochgemute Motto, mit dem man der Wahrheit den Vorrang vor der Freundschaft einräumte, dem Glauben den Vortritt vor der Liebe, lautet: „usque ad aras“, was man übersetzen kann: bis an die Altarstufen, oder: bei der Religion hört die Freundschaft auf. Es steht in des Erasmus monumentaler

Sammlung geflügelter Worte (Adagia 3, 2, 10) und wird von Melanchthon diesem gegenüber zur Abgrenzung verwendet (MBW 332.5, Z. 46 f).

Ich sehe mich deshalb gern durch das Rahmenthema Freundschaft dazu veranlaßt, das Verhältnis von Staupitz zu Luther – ein Dauerthema – unter diesem speziellen Blickwinkel zu betrachten.
Dies soll kein Rückschritt zu jenen Anfängen werden, da man Reformationsgeschichte als Biographie Luthers entwarf und seine Zeitgenossen in Lutherfreund und -feind einteilte. Es gilt vielmehr, die immense Weitung der Perspektive bewußt zu halten, die in ordens- und territorialgeschichtlicher Hinsicht mit Theodor Kolde, in Hinsicht auf Luthers theologischen Werdegang mit Ernst Wolf begonnen hat. Historiker aus dem Augustinerorden wie Adolar Zumkeller haben ohne Berührungsangst gegenüber dem abtrünnigen Ordensbruder von einst, Reformationsgeschichtler wie Heiko A. Oberman haben ohne Angst um Luthers Originalität diese Bemühungen fortgesetzt. In den letzten Jahren wurde eine neue Stufe struktureller und komparatistischer Betrachtung erreicht[3].

Der Orden

Luther mag, wie Adolar Zumkeller mit Erfurter Ortskenntnis einmal hintersinnig bemerkt hat, in seiner Seelennot ins nächst beste Kloster geeilt sein. Die Gesellschaft, in die er dort geriet, war die eines der Urklöster der päpstlich privilegierten Kongregation der Augustiner-Eremiten für die Reform Deutschlands (fratrum Eremitarum sancti Augustini ad Apostolicorum privilegiorum formam pro reformatione Alemanniae congregatio). Ohne dieses Kloster (Erfurt), ohne die spezielle Organisation, der es angehörte (einer Reform-Kongregation) und ohne den Mann, der dieser während all der Klosterjahre Luthers vorstand (Staupitz) wäre aus dem Jura-Studenten Luther nicht der Reformator geworden. Dies gilt im Sinne von Anknüpfung, dies gilt im Sinne von Widerspruch.
E r e m i t e n waren die Brüder dieses Bettelordens längst nicht mehr, sie lebten vielmehr als Prediger und Seelsorger in der Stadt. Aufgaben, die Pfarrer und Bischöfe höchst lückenhaft wahrnahmen. Was die übrigen Elemente jenes langen Namens der Kongregation betrifft, so trugen die Brüder ihn zu recht: Sie waren r e f o r m i e r t, man sagt auch o b s e r v a n t, d. h. auf Einhaltung ihrer Regel bedacht, vor allem im Hinblick auf das Gemeinschaftsleben und die persönliche Besitzlosigkeit[4]. Dieser seit den großen Reformkonzilien von Konstanz und Basel zu Beginn des 15. Jh.s erneuerten

Porträt des Generalvikars der Augustinereremiten
Dr. Johannes von Staupitz, um 1522

Selbstverpflichtung kam die Mehrzahl der Klöster oder Konvente ihrer und anderer Ordensfamilien nur widerwillig nach. Im Gesamtorden rangen die Observanten mit den Konventualen um die Besetzung der Spitze – das Amt des Generalpriors oder auch Generals mit Sitz in Rom –; bei der päpstlichen Kurie rivalisierten sie um ihre Rechte. In ihren ordenseigenen Studienhäusern und auf Lehrstühlen an alten und neuen Universitäten pflegten beide Flügel neben den bekannteren mittelalterlichen Theologen-Schulen des Thomismus, Skotismus, Occamismus in einer eigenen Augustiner-Schule speziell das Erbe Augustins, der denn auch der Patron der neu gegründeten Universität Wittenberg wurde. Dem aufkommenden Humanismus standen sie aufgeschlossen gegenüber; seine Hochschätzung der Antike schloß ihren Ordensvater ja ein.
Bleibt, die päpstlichen Privilegien zu erklären. Sie betreffen das Oberhaupt des Verbandes. Die deutsche Kongregation besaß – wie ihre Pendants in anderen Ländern, vor allem in der Lombardei und in Mittelitalien (Illicetum) – das päpstlich verbriefte Recht, dieses ihr Oberhaupt selbst wählen zu

dürfen. Der Gewählte war dann allein kraft solcher Wahl vom Papst als Vikar des Generalpriors anerkannt. In dessen Rechte trat er im Geltungsbereich der Kongregation ein. Das Oberhaupt der Kongregation war also Vikar des Generalpriors und hieß Generalvikar. (So, ‚Generalvikar', und nicht ‚Augustinerprior', müßte auch Staupitz auf der erfreulicherweise neuerdings an diesem Haus angebrachten großen weißen Tafel heißen).
Reformwillige Konvente durften – Reinheit geht vor Einheit[5] – ihren angestammten Provinzialverband verlassen und sich der Kongregation anschließen. Die Erfinder des Modells hofften, daß auf diesem Weg die in der Kongregation organisierte reformwillige Minorität früher oder später eine ganze Provinz nach der andern überwältigen werde. Daß sie sich damit selbst überflüssig machen würde, unter diesem interimistischen Vorbehalt stand die Privilegierung ausdrücklich.

Eine derartige rechtliche Sonderstellung – Exemtion (Ausnahme) genannt – befreite zwar die so Begünstigten, in unserem Fall die Reformer, von der lähmenden Trägheit von Personen oder Strukturen, sie hatte aber ihren Preis. Sie trieb die ohnehin schon bestehende Zersplitterung der Zuständigkeiten weiter: Waren die monastischen Verbände jedweder Couleur allesamt von je her exemt gegenüber den – in ihrem Zuschnitt oft nicht mehr den demographischen, geschweige denn den politischen Gegebenheiten entsprechenden – Pfarreien und Diözesen unter der Leitung des Weltklerus, so waren nun die Klöster der Kongregation wiederum exemt gegenüber den Provinzen. Dies gilt nicht nur von den Augustinern, sondern auch von Franziskanern und Dominikanern, die sich den Luxus einer solcher Reformbewegung in ihren Reihen ebenfalls leisteten. Die Versuche der Wiederbelebung älterer ordensgestützter Reformbewegungen wie die der Zisterzienser in der uns hier interessierenden Zeit seien nur am Rand erwähnt.
Für die Gläubigen an der Basis der Kirchenpyramide bedeutete dieses wohlorganisierte Chaos Vielfalt und Wahlfreiheit, Überangebot neben Vernachlässigung, mehr außerordentliche als ordentliche Seelsorge.
Die päpstliche Kurie hatte das Modell der Reform eines passiven Ganzen durch Reform eines aktiven Teils – Reinheit vor Einheit um der Einheit willen – von Anfang an durch Privilegierung des aktiven Teils gefördert. Ihr brachte das Modell – gleichgültig ob die Reform des Ganzen vorankam oder nicht – als Instrument des Divide et impera weiteren Machtzuwachs, ähnlich dem aus der Rivalität zwischen Weltklerus und Orden.

Sie denken sicher längst: Was hat das alles mit der Freundschaft von Staupitz und Luther zu tun? Muß man das hierfür wirklich alles so genau wissen? Ist es für das persönliche Verhältnis beider Männer so wichtig, ob Staupitz Prior war oder eben Inhaber jenes kompliziert konstruierten Amtes eines von päpstlicher Autorität getragenen Vikars des Generalpriors in Rom, aber bloß für Deutschland? Im institutionellen Gestrüpp der Abhängigkeit ihrer Lebenswelt von wechselnd besetzten Instanzen im fernen Rom sind sich Staupitz und Luther zunächst als Gegner in die Quere und später in der Erfahrung des gemeinsamen Scheiterns näher gekommen, nicht nur auf den kühlen Fluren des Erfurter Konvents oder unterm Birnbaum im Garten hier nebenan. Das ferne Rom war im Konfliktfall fraglos zuständig, als kompetent erwies es sich nicht. Doch ich habe den Ereignissen vorgegriffen.

Andreas Proles

Staupitz' Vorgänger als Generalvikar der deutschen Kongregation war Andreas Proles (*1429, †1503, GV 1460–1467. 1473–1503). Er war es hauptsächlich, der die skizzierten Rahmenbedingungen für den Erfolg der Observanz in seinem Bereich nutzte.
In den mit kurzer Unterbrechung fast vierzig Jahren seiner Amtszeit gewann er zu den fünf oder sieben Urkonventen (darunter Erfurt) fünf- bzw. dreiundzwanzig weitere Konvente für die Reform. Entscheidend hierfür war die tatkräftige Unterstützung durch den Landesherrn, Landgraf Wilhelm III., den Tapferen (†1482), einen Großonkel Friedrichs des Weisen. Er praktizierte landesweit und gegenüber allen Bettelorden gleichermaßen ein ius reformandi, ein Initiativrecht auf Reform, das er nicht besaß; als Vorwand diente ihm die Schutzpflicht gegenüber reformwilligen Konventen. Welcher Konvent reformwillig war, bestimmte freilich der Fürst. Proles war, so Manfred Schulze (wie Anm. 3) pointiert, Wilhelms „Landesbeauftragter für die Klosterreform der Augustiner" (94). Notfalls handelte Proles mit Wilhelms Rückendeckung auch gegen den Widerstand der Ordensleitung in Rom. Dies verschaffte ihm einen Ehrenplatz unter den testes veritatis (Zeugen der Wahrheit) des Flacius Illyricus.
Die Mehrzahl der von Proles hinzugewonnenen Konvente lag in der daneben weiterbestehenden sächsischen Provinz, einige lagen aber auch in der schwäbisch-rheinischen, z. B. Tübingen, wenige in der alt-bayerisch-österreichischen, darunter aber so wichtige wie München und Nürnberg.

Wie die Privilegierung der Kongregation durch die päpstliche Kurie hatte auch dieses Zusammenspiel von landesherrlicher Reform und Klosterreform – eine Verfassungsreform auf dem Verwaltungsweg – ihren Preis. Die Kehrseite des Erfolgs sollte sich bald zeigen. Was hatten die Klöster zu erwarten, wenn der Landesherr in den stellvertretenden guten Werken regeltreuer Mönche keinen Sinn mehr sehen und die beste Reform der Klöster in ihrer Aufhebung sehen würde? Wilhelm selbst starb in der Kutte des heiligen Franz und ließ sich im Weimarer Franziskanerkloster bestatten. Dieses Kloster setzte der Aufhebung durch seine Enkel den hartnäckigsten Widerstand entgegen.

Staupitz, besonders als Generalvikar

Staupitz trat 1503 die Nachfolge des Proles an. Nach dem Studium der propädeutischen Fächer der philosophischen Fakultät oder – wie man damals sagte – der Artes in Leipzig und Köln und wieder in Leipzig hatte der junge Adlige ca. 1490 nach alter Überlieferung in München die Ordensgelübde bei den reformierten Augustiner-Eremiten abgelegt. Über die Motive wissen wir nichts. Ebensowenig darüber, in welchem Studienhaus er sein Theologiestudium so weit vorangebracht hatte, daß er 1497 in Tübingen als Lektor seines Ordens immatrikuliert werden konnte. Literarisch trat er im Jahr 1500, vielleicht im Zusammenhang mit seiner Promotion zum Doktor der Theologie, mit einer kleinen Schrift hervor, die den Titel trägt: Entscheidung der Frage, ob an Sonn- und Feiertagen die Messe in der Pfarrkirche zu hören sei (Decisio quaestionis de audientia missae in parochiali ecclesia dominicis et festivis diebus). Erstaunlich souverän gegenüber den Sonderinteressen seines – wie eines jeden – Ordens, plädiert er darin für die Erfüllung der Sonntagspflicht in der Pfarrkirche. Was wir heute weit darüber hinaus über die Gedankenwelt, in der er sich damals bewegte, aus den Tübinger Predigten 1497/98[6] herauslesen können, blieb bis vor siebzig Jahren in deren Münchener Handschrift verborgen.

Ordenspolitisch trat Staupitz zunächst in des Proles Fußstapfen institutioneller Reform. Er ließ 1504 die noch von diesem vorbereitete neue Satzung der Kongregation verabschieden und – ein absolutes Novum in der Ordensgeschichte überhaupt – drucken.

Zwei strategische Pläne scheiterten: Erstens der 1505 unternommene Versuch einer Privilegien-Kommunikation mit der Lombardischen Kongregation. Zum eigenen Privileg der freien Vikarswahl hinzu hätte sie noch das Privileg eingebracht, einen eigenen Prokurator bei der päpstlichen Kurie und damit direkten Zugang zu dieser zu erhalten. Dieser Plan scheiterte am Einspruch des damaligen Generalpriors, des Konventualen Augustinus von Interamna (†1506).

Zweitens der von dessen observantem Nachfolger, dem Humanisten

Aegidius von Viterbo (†1532), geförderte Plan der Verschmelzung der deutschen reformierten Kongregation mit dem Rest der nicht reformierten sächsischen Provinz. Geschehen sollte dies zunächst nur durch Vereinigung der beiden Führungsämter – Vikariat und Provinzialat – in einer Personalunion bei Staupitz. Dieser Plan scheiterte am Widerstand der observanten Urklöster, darunter Erfurt. Als deren Abgesandter reiste Luther 1510 nach Rom, um dort ihren Einspruch gegen Staupitz vorzubringen. Ein vom Generalprior Aegidius von Viterbo daraufhin vorgeschlagener Kompromiß sah vor, daß der künftige gemeinsame Obere für Kongregation und Provinz – Staupitz –, in seiner Eigenschaft als Provinzial durch den Generalprior ernannt werden solle. So blieb das Wahlrecht der Observanten ungeschmälert. Die Zustimmung, die Luther im Juli 1511 in Jena zu diesem Kompromiß gab, wurde von den Altobservanten in Erfurt nicht mitgetragen. Sie vergraulten Luther damit endgültig nach Wittenberg.
Staupitz gab den ganzen Plan auf, zumal auch der Rat der Stadt Nürnberg dagegen opponierte, und widmete die zweiten drei Dreijahresperioden seiner langen Amtszeit der Visitation und der Predigt. Jene führte ihn bis in die Niederlande, diese nach Nürnberg, München und Salzburg. Aus den Zyklen dort gehaltener Advents- und Fasten- bzw. Passions-Predigten gingen fast alle seine gedruckten Schriften hervor.

Daß er nach diesen politischen Verwicklungen, in denen er sogar vor dem Einsatz des Zwangsmittels der Exkommunikation nicht zurückschreckte – die Nürnberger sperrten ihren Augustinern nur das Trinkwasser –, ein gutes Verhältnis zu Luther und ein gutes Verhältnis zu den führenden Männern Nürnbergs gewann, beweist seine Fähigkeit zur Versöhnung. Daß das Scheitern bei weiten Sprüngen institutioneller Reform ihn nicht resignieren ließ, beweist seine Gelassenheit. Observanz war nicht Selbstzweck.

Staupitz und Luther

Die Freundschaft zwischen Staupitz und Luther gilt als gesichert. Aufgrund welcher Quellen? Luthers klare Selbstzeugnisse über den Einfluß von Staupitz auf seine T h e o l o g i e kann man im Prinzip an den Schriften der beiden jederzeit auf ihre Richtigkeit hin überprüfen. Luther nennt als Stücke, in denen er von Staupitz Entscheidendes gelernt habe, Buße und Prädestination[7]. Daß dieser Einfluß trotzdem noch immer strittig ist, sei nicht verschwiegen. Anders liegen die Dinge bei der uns hier beschäftigenden Frage nach dem persönlichen Verhältnis, gar der F r e u n d s c h a f t. Hier kommt

„Schwarzes Kloster" der Augustiner, dann Luthers Wohnhaus, 1565

dem persönlichen Zeugnis alles entscheidender Wert zu. Die Wahrheit eines solchen Zeugnisses kann man nicht überprüfen, höchstens seine Glaubwürdigkeit und Plausibilität.
Für die Freundschaft zwischen Staupitz und Luther sprechen die – freilich subjektiv gefärbten – Rückblicke Luthers in seinen Tischreden. Unter ihnen sei nur e i n Freundesdienst hervogehoben, den Luther von Staupitz empfangen haben will: Staupitz habe ihm aus der Verzweiflung herausgeholfen, in die ihn die Frage, ob er erwählt sei, zu stürzen drohte[8].
Dazu kommen die Fakten der Förderung des Jüngeren durch den Älteren, des einfachen Mönchs durch den hohen Ordensoberen: Zulassung zu Studium und Priesterweihe (1507), erste Berufung nach Wittenberg (1508) zu Vorlesungen über Ethik, Ermunterung zu Promotion und Nachfolge auf der Professur ‚in biblia' (1512), Vorschlag zur Wahl als Distriktsvikar (1515), Zulassung zur Disputation auf dem Triennalkapitel der Kongregation zu Heidelberg (1518), Annahme der Widmungsvorrede zu den Resolutiones – d. h. den Erläuterungen der aufsehenerregenden 95 Ablaßthesen vom 31. Okt./1. Nov. 1517 –, die Luther im gleichen Jahr 1518 an den Papst schickte.
Aber diese Schritte der Förderung könnten auch klarer Beobachtung und amtlichem Pflichtgefühl entspringen. Hier muß nicht notwendig persönliche Neigung im Spiel sein. Eher vorauszusetzen ist eine solche Neigung bei der Hilfsbereitschaft, mit der Staupitz aus Salzburg nach Augsburg herbeieilte, um Luther gegenüber dem päpstlichen Legaten auf dem Reichstag 1518,

Kardinal Cajetan, beizustehen (12.–14. Okt.). Aber auch das könnte ja noch um der Begrenzung des Schadens willen geschehen sein, den die causa Lutheri (der römische Prozeß gegen Luther) anzurichten drohte. Doch erlauben hier erstmals briefliche Zeugnisse die Entscheidung: Wenn nicht der hinsichtlich der Datierung umstrittene Brief von Staupitz an Luther mit der Aufforderung, zu ihm nach Salzburg zu kommen und mit ihm zu leben und zu sterben (14. Sept. oder 14. Dez. 1518: WAB Nr. 119), dann der Brief von Staupitz an Kf. Friedrich den Weisen vom 15. Okt. 1518 (Kolde Nr. 16) über den enttäuschenden Verlauf des Verhörs und das Gerücht, ihrer beider Verhaftung sei geplant.

Umgekehrt könnten all diese Fakten eine zeitweilige Entfremdung oder gar einen endgültigen Bruch nicht ausschließen, wenn wir nicht jenes einzigartige ausdrückliche Zeugnis in Gestalt von Staupitz' letztem Brief an Luther besäßen (Kolde Nr. 22; WAB Nr. 726: Bd. 3, 263 f; „Freund" in Z. 1 und Z. 30, aber auch Z. 37).

Ich erlaube mir, ihn Ihnen vorzuübersetzen (dt. auch bei Walch, 2. Aufl., Bd. 21a, Nr. 723):

Staupitz' letzter Brief an Luther

An den Herrn Martinus Luther, seinen größten Freund und Diener Christi [schreibt] Dein Bruder und Schüler Johannes, Diener Christi. [Im Namen] Jesu. Gruß und mich selbst.

Du schreibst so oft, bester Martin, und überziehst meine Standhaftigkeit mit Verdacht. Dazu sage ich: Mein Glauben an Christus und das Evangelium ist unbeschädigt und beharrlich; freilich bedarf ich der Fürbitte, daß Christus meinem Unglauben aufhelfe und ich das Menschliche verabscheue; in meiner Anhänglichkeit an die Kirche bin ich lau. Zu dir habe ich die allerbeständigste Liebe, beständiger als Frauenliebe, immerwährend und unzerstörbar. Nur, sieh es mir nach, wenn ich ob der Langsamkeit meines Geistes manchmal nicht begreife, was du meinst, und deshalb mit Stillschweigen darüber hinweggehe.

Ihr verdammt vieles, wie mir scheint, ganz und gar Äußerliche, das mit dem Glauben und der Gerechtigkeit nichts zu tun hat, wertneutral ist und, im Glauben an unsern Herrn Jesus Christus getan, das Gewissen nicht im mindesten beschwert. Warum also sollen die Herzen der Einfältigen in Verwirrung geraten? Und was hat die Gewänder der Ordensleute Deiner Nase so verhaßt gemacht, wo doch die meisten [das ihrige] in heiligem Glauben an Christus

tragen? Mißbrauch kommt, leider, in so gut wie allen menschlichen Einrichtungen vor, und nur wenige richten alles nach dem Richtscheit des Glaubens aus; nichtsdestoweniger gibt es sie. Deshalb darf man nicht wegen des Übelstandes in einzelnen Fällen eine Sache im Wesen verwerfen. Landaus landein werft ihr alle Gelübde ab, auf ganz wenige [Gründe], vielleicht nur einen gestützt. Ich überschütte dich deshalb mit Bitten, liebster Freund, denke an die Kleinen und versetze nicht die ängstlichen Gewissen in Unruhe. Was wertneutral ist und mit einem aufrichtigen Glauben zusammen bestehen kann, verdamme, bitte, nicht. In den Dingen, die zum Glauben im Widerspruch stehen, schreie, laß nicht ab!
Wir verdanken Dir viel, Martin; Du hast uns vom Futter für die Schweine am Trog auf die Weiden des Lebens zurückgeführt, zu den Worten des Heils. Der Herr Jesus verleihe das Wachstum, daß wir das Evangelium, das wir jetzt mit den Ohren vernehmen, das viele im Munde führen, endlich leben; denn ich sehe unzählige das Evangelium zur Freiheit des Fleisches mißbrauchen. Doch der Geist weht, wo er will. Euch schulden wir Dank, weil ihr gepflanzt habt und gegossen, und lassen Gott die Ehre, dem allein wir die Macht zutrauen, zu Kindern Gottes zu machen.
Ich habe genug geschrieben. Wäre es mir doch vergönnt, auch nur eine Stunde mit Dir zu sprechen und Dir die Geheimnisse des Herzens zu eröffnen. Ich empfehle Dir, mein Bruder, den Überbringer dieses Briefs, einen Schüler von Dir. Bewerkstellige es mit Eifer und Geschick, daß er gute Frucht bringe und der Wittenberger Universität zur Ehre gereiche. Mögen meine unwürdigen Bitten etwas ausrichten, bin ich doch einst als Vorläufer der heiligen evangelischen Lehre auf den Plan getreten und habe die babylonische Gefangenschaft gehaßt, wie ich dies auch jetzt noch tue.
Lebe wohl und bestelle ein solches Lebewohl auch Philipp [Melanchthon], Amsdorf, Dr. Hieronymus [Schurff] mit den übrigen besten Freunden. Gegeben zu Salzburg am ersten April 1524.

Tübinger Predigten

Läßt sich zum besseren Verständnis dieses Briefs etwas aus den fast 30 Jahre früher niedergeschriebenen Tübinger Predigten gewinnen? Was sagen sie über Frauenliebe und Freundschaft, Mönchtum und Reform? Können sie die Spannung plausibler machen, die diesen Brief prägt: das Nebeneinander von Liebe und Kritik, Glauben und Gelübden, Haß auf die babylonische Gefangenschaft der Kirche und Verharren in ihr?
Zu einer solchen Zusammenschau des ersten und des letzten der uns bekann-

ten Staupitz-Texte ermutigt mich das Vorgehen von Heiko A. Oberman und Adolar Zumkeller. Der eine hat in zwei einander ergänzenden Aufsätzen daraus Themen behandelt, die klar aus deren Titeln hervorgehen: ‚Captivitas Babylonica. Die Kirchenkritik des Johann von Staupitz'[9] und ‚Duplex misericordia: Der Teufel und die Kirche in der Theologie des jungen Johann von Staupitz'[10], der andere in einem Aufsatz ‚Johannes von Staupitz und die klösterliche Reformbewegung'[11]. Jeder der beiden hat aus den kurz zuvor neu edierten Tübinger Predigten das herausgehoben, was ihm besonders am Herzen liegt. Ich für mein Teil werde mich auf den als Freundschaftsversicherung von Mönch zu Mönch überraschenden Satz „Meine Liebe zu Dir ist beständiger als Frauenliebe" konzentrieren.

Die Tübinger Predigten zeigen wie kein anderes Werk die ganze Gedankenwelt von Staupitz und lassen klar erkennen, in welche Tradition er sich stellt: es ist dies vor allem Augustin[12]. Ich würde sie Ihnen gern etwas ausführlicher vorstellen, weil sie noch immer recht stiefmütterlich behandelt werden. Hier nur soviel:
Als Thema hat Staupitz Hiob gewählt, den um Gottes willen angefochtenen Jedermann. Er beschränkt sich dabei auf die Rahmenerzählung des biblischen Buchs, die eigentliche Parabel. In ihr spiegeln sich dank meist allegorischer Auslegung nicht nur die zeitlosen Anfechtungen des Menschen, sondern auch die beunruhigenden Zeiterscheinungen: Pflichtvergessenheit der Prälaten, der Priester, der Prediger, der Fürsten und der Eltern. Einzelne Predigten handeln deshalb von den skandalösen Mißständen im Klerus, angefangen mit den Priestern bis hinauf zu den „Statthaltern Christi", und vom Auftrag der Bettelorden zur „Kritik (correctio)" (TüPr 19), vom falschen Eifer bei solcher „correctio" (TüPr 20), der in Schisma und Häresie endet, vom Mißbrauch weltlicher Gewalt (TüPr 21) und von verfehlter Erziehung (TüPr 22).
Der Predigt-Zyklus ist ein wohlüberlegtes, obschon unvollendetes Ganzes. Er schildert im ersten Teil in zehn von insgesamt 34 ausgeführten Sermonen Hiob Jedermanns Wohlergehen dank vollkommener innerer Verfassung und unangefochtenem Gebrauch der äußeren Güter irdischer Glückseligkeit. Er handelt im zweiten Teil in vier Sermonen vom providentiellen Sinn der äußeren und inneren Anfechtung, im dritten Teil in den übrigen 20 Sermonen vom Geprüftwerden und Bestehen in eben diesen äußeren und inneren Anfechtungen. Im vierten, fehlenden Teil sollte vom Triumph über diese die Rede sein. Daß Staupitz selbst das Ganze nicht für geglückt hielt, belegt die aus Melanchthons Vorlesungen stammende Anekdote[13] über einen Augsburger Vikar („vicarius quidam Augustanus") – statt dessen es natürlich „Augustinianus"

heißen muß –, einen berühmten Mann von Adel, der Luther sehr liebte und der in Tübingen Doktor der Theologie geworden war. Der habe das Buch Hiob ausgelegt, aber bei Kapitel 10 und 11 – in Wirklichkeit Kap. 2, Vers 11 – angekommen, den Eindruck gewonnen, Hiob müsse unter diesen Auslegungen mehr leiden als unter seinen Geschwüren, und habe deshalb damit aufgehört. Was ergeben nun die Tübinger Predigten für das bessere Verständnis des letzten Briefs von Staupitz an Luther?

Freundschaft

Die Freundschaft führt Staupitz in Sermo 16 – dem ersten von verschiedenen Sermonen oder Gruppen von Sermonen, die sich alle mit der Ermächtigung des Teufels zur Versuchung befassen (TüPr 16, TüPr 17, TüPr 19–22 und TüPr 23–25) – unter den Gaben auf, die Gott gemäß seiner Schöpfergüte gleichermaßen Guten und Bösen, Gerechten wie Ungerechten zuteil werden läßt. Mit Augustin sagt er: „Wer hat nicht teil an dieser Seite der Barmherzigkeit Gottes, sich derart vom Vieh zu unterscheiden, daß er als vernunftbegabtes Lebewesen Gott erkennen, ferner das Licht dieser Welt genießen kann, ihre Luft, Regen, Früchte, Jahreszeiten, irdische Tröstungen wie Gesundheit des Leibes, Zuneigung von Freunden, Wohlfahrt des Hauswesens?“ (TüPr 16, Z. 103–107).

In Sermo 30 – Vom Leben der Natur, der Gnade und der Tugend, daß sie nicht in der Hand des Teufels sind, also von den innersten Grenzen, an die die Macht des Teufels stößt – zieht Staupitz als Anweisung zur „amoris rectificatio“, recht und schlecht übersetzt: richtigen Einstellung der Liebe, die Grenze zwischen Freundschaft und Liebe durch Unterscheidung eines „amor amicitiae“ und eines „amor caritatis“:

Er sagt: „Aristoteles stellt im 9. Buch der Ethik die Frage, ob es gut sei, um der Tugend willen viele zu lieben, und zeigt, daß im Hinblick auf das Miteinanderleben, im Hinblick auf Trauer und Freude“ – die Freunde mit einander teilen – „und im Hinblick auf die tägliche Erfahrung dies nicht gut, ja wegen des Übermaßes, das die Liebe verlangt (per excellentiam amoris), gar nicht möglich ist. Wir sagen dasselbe wie Aristoteles: Es ist nicht gut, viele in ihrer Vielzahl zu persönlichen Freunden zu nehmen. Damit vereinbar ist jedoch, nicht nur viele, sondern alle zur liebevollen Freundschaft (amicitiam caritativam) in Gott und um Gottes willen anzunehmen; denn so werden all jene vielen auf eine Einheit zurückgeführt. Fragt man nämlich, ob du von vielen geliebt werden willst, dann antwortest du: Ja; und dringt man weiter in dich, was du vom Liebenden zu erhalten wünschst, antwortest du: Daß er mir Gutes will. Forscht man darüber hinaus nach Qualität und Quantität dieses Guten, sagst du: Ich will, daß er das höchste Gute für mich will. Was du davon hast, merkst du sofort; denn wenn er für mich das Höchste will aus rechtem Willen, aus Liebe (ex caritate), wie ich das ersehne, dann hat er die Liebe (caritatem) samt dem heiligen Geist, der in ihr wohnt, und er gibt mir, was er hat; auch hat er deshalb nicht weniger, weil er mir gab, sondern empfängt sogar selbst mehr: Wer diese Liebe (amorem caritatis) empfängt, wird dazu verstrickt, wieder zu lieben. So geschieht es, daß wir nichts Verschiedenes, sondern dasselbe von allen zu empfangen ersehnen, wenn wir mit vielen in Liebe (amore) verbunden zu sein wünschen; bleibt doch auch in der Vielheit die Einheit. Denn obgleich da viele sind, die geben, ist es doch eines und dasselbe, was gegeben wird und um dessetwillen ich mich dem Gebenden zuwende" (TüPr 30, Z. 352–372).

Frauenliebe

Für den Augustin-Schüler Staupitz wurde der Mensch geschaffen, um die Lücke zu schließen, die der Sturz der Engel gerissen hatte („reparatio ruinae angelorum" TüPr 11, Z. 603). Die Paradiesesehe mit dem Gebot „Wachset und mehret euch" hatte den Sinn, die Menschen auf eine bestimmte Zahl („certus numerus") anwachsen zu lassen. Das erste Menschenpaar und seine Nachkommen hätten den Tod als schreckenlosen Eintritt in die Unsterblichkeit erfahren (TüPr 6, Z. 198 ff). Für den Ungehorsam des Geistes gegen Gott, in den Adam, ungleich weniger rebellisch als Luzifer, eher in törichter Nachgiebigkeit gegenüber seinem Schatz („deliciae" TüPr 12, Z. 193) hineingestolpert ist (TüPr 12, Z. 180 ff) - und im Keim („seminaliter" TüPr 27, Z. 130) wir alle in ihm –, erleidet der gefallene Mensch als Strafe den Ungehorsam des Fleisches gegen den Geist (Gal 5, 17) am eigenen Leib: die Konkupiszenz, die Begehrlichkeit oder böse Lust (TüPr 27, Z. 82 ff). Das ist der „amor concupiscentiae".
Die Zeugung folgt nicht mehr dem Wink der Vernunft („ad dictamen rationis" TüPr 6, Z. 399 ff), sondern der Tyrannei des Triebes. Und an die Stelle des „certus numerus" tritt der „numerus sanctorum" (TüPr 6, Z. 183. 187), die Zahl der Erwählten.
All das wird teils direkt, teils über die Sentenzen des Petrus Lombardus (†1160), teils über die Sentenzenkommentare der Augustiner-Theologen Aegidius Romanus (†1316) und Thomas von Straßburg (†1357) aus Augustin zitiert. Nur der Gegenbegriff zu den „certi", die „ceteri", salopp gesagt der Abfall dieser Nachzucht, fehlt.

Im Rahmen der unter solchen Prämissen möglichen grundsätzlich positiven Bewertung der Ehe in Sermo 6 – Vom ehelichen Akt, daß er nicht nur erlaubt, sondern auch gut und sogar verdienstlich ist – kontrastiert Staupitz mit Thomas von Straßburg Augustins paradiesische „Güter der Ehe: Treue (fides), Nachkommenschaft (proles), Unauflöslichkeit (sacramentum)" durch Parallelisierung mit der aristotelischen Trias des Guten als „Wert (bonum honestum), als Nutzen (bonum utile) und als Lust (bonum delectabile)" besonders krass mit ihren nachparadiesisch real existierenden Verfallsformen: In Entzücken und Ehrbarkeit drängt sich Scham und Begehrlichkeit, Kindersegen wird erkauft mit Schäden an Gesundheit und Besitz, die Unzertrennlichkeit wird vergällt durch Mühsale und Überdruß („Nunc vero honestas fidei verecundia permiscetur, utilitas prolis damno et indissolubilitas laboribus et taedio") (TüPr 6, Z. 305–307). Trotzdem nennt Staupitz die Ehe an der gleichen Stelle mit Aristoteles eine „naturgegebene Freundschaft" („amicitia naturalis") (302).

Frauenliebe und Freundschaft

Eine Abwägung von Frauenliebe und Freundschaft findet sich in derselben Predigt : „Laut Aristoteles ist etwas vollkommen, wenn es seines Gleichen zeugen kann. Da also bei den ersten Eltern die Natur vollkommen war, waren sie in zwei Geschlechter unterschieden, eine Unterscheidung, die zu keiner anderen Art von Hilfe (Gen 2, 18) vorgenommen scheint als um der Nachkommenschaft willen. Wir können" drei „Arten von Hilfe unterscheiden: die erste Art, die Hilfe bei der Zeugung, gehört allein der Frau; die zweite Art, die Hilfe bei der Arbeit, war im Urstand nicht notwendig und würde ohnehin angemessener durch einen Mann geleistet; die dritte Art von Hilfe, die des Trostes und des Gesprächs", „wer wollte leugnen, daß auch sie durch ein männliches Wesen geleistet, ja besser geleistet werden kann? Männer, die ohne die Absicht auf den Zeugungsakt in der Liebe zu Gott mit einander (in dilectione et caritate) vereinigt sind, empfinden nicht weniger Lust aus dem Gespräch miteinander als Mann und Frau" bei der Zeugung (TüPr 6, Z. 137 ff).
Auf ein solches Gespräch mit Staupitz beruft sich Luther zu Beginn seiner Vorrede zu den Resolutiones (WA 1, 525–527)[14].
Hiermit sind wir dem wohl am nächsten, was Staupitz gemeint haben könnte, als er Luther schrieb: „Meine Liebe zu Dir ist beständiger als Frauenliebe".

Zurück zum letzten Brief

„Super amorem mulierum" So viel zu dem von Mönch zu Mönch zunächst doch überraschenden Satz „In te constantissimus mihi amor est, etiam supra amorem mulierum". Oder sollte Staupitz alles, was er in den Tübinger Predigten über Freundschaft und Frauenliebe gesagt hat, längst vergessen haben? Dann wäre unser Ausflug umsonst gewesen. Sollte er nur noch an den schlichten Sinn des Wortes gedacht haben, den es an seinem biblischen Ursprungsort hat? Das würde die Sache freilich nicht einfacher machen. Steht es doch in Davids Klage über den toten Freund Jonathan (2 Sam 1, 26). Will Staupitz denn die Totenklage über Luther anstimmen? Den Verlust des Freundes beklagen?

Es liegt zweifellos ein Hauch von Tragik, etwas eigentümlich Letztwilliges über diesem Brief. Staupitz setzt sich über die Bestimmungen der Bannbulle hinweg, wenn er Luther überhaupt schreibt. Er versichert Luther, der am 17. Sept. 1523 mit theologisch aufgeladenen Begriffen („grati et placiti", „angenehm und wohlgefällig" WAB Nr. 659: Bd. 3, S. 155, Z. 6) das Herausfallen aus Staupitz' Gnade beklagt, seiner unerschütterlichen Liebe. Und Luthers Feststellung, durch Staupitz habe „das Licht des Evangeliums aus der Finsternis zu leuchten angefangen" (ebd. Z. 7 f; 2 Kor 4, 6), bestätigt er, indem er sich selbst als „Vorläufer der evangelischen Lehre" bezeichnet.

Staupitz verteidigt sich nicht gegen die seine Person betreffenden Vorwürfe Luthers, Abt von St. Peter in Salzburg geworden zu sein, sich ihm und den Wittenberger Freunden entfremdet („alienum a nobis" ebd. Z. 11) und dem „Ungeheuer", Fürsterzbischof Kardinal Matthäus Lang, übereignet zu haben („monstro ... proprius factus" ebd. Z. 12)[15].

Was Staupitz geradezu beschwörend verteidigt, ist die Lebensform des Mönchtums. In der Kritik an Hochmut und Selbstgerechtigkeit des harten Kerns der altobservanten Opposition hatten sich er und Luther nicht nur politisch, sondern auch theologisch geeinigt. Was Luther 1519 in seinem Galater-Kommentar (WA 2, 436 ff) schrieb, z. B. zu Gal 3, 28 (530, Z. 1 ff) oder zu Gal 5, 22 (593, Z. 35 ff), sagte auch Staupitz. In seinen Nürnberger Tischreden gebraucht er ein schönes Bild: Die Mönche tragen zwar das „Hofkleid Christi", aber wie bei den Fürsten genießen nicht selten „Räte von Haus" das größere Vertrauen (Knaake 42 f; 33)[16]. Luther hatte noch 1519 im Sermon von dem Sakrament der Taufe die Mönchsgelübde als geeignetes Mittel zur Erfüllung des Taufgelübdes betrachtet (WA 2, 736, 12 ff)[17]. Luther hatte noch im Sommer 1521 in seinen Wartburg-Briefen an Melanchthon (MBW 157.1, Z. 2 ff; MBW 158.1–2, Z. 2 ff. 56 ff; MBW 165, Z. 3 ff) dessen und Karlstadts Gleichsetzung der freiwilligen Keuschheit der Mönche mit dem Zwangs-Zölibat der Priester zurückgewiesen und den glücklichen Mönch Bernhard von Clairvaux als gelebten Beweis dafür gepriesen, daß die christliche Freiheit die Entscheidung f ü r die Gelübde ebenso erlaube wie g e g e n sie.

Ich glaube nicht, daß Heiko A. Oberman recht hat, wenn er meint, Staupitz sei „im fernen Salzburg“[18] über die Ereignisse der Wittenberger Bewegung, die im Haus hier nebenan, dem von ihm mitgegründeten Augustinerkloster, im letzten Viertel des Jahres 1521 in Abwesenheit des gebannten Luther ihren Anfang nahm, nicht richtig informiert gewesen und laste sie deshalb jetzt noch Luther an. Diese Wirren sind im April 1524 längst passé.
Vielmehr sieht Staupitz m. E. Luther selbst auf dem besten Weg, das Mönchtum als Lebensform überhaupt zu zerstören. Denn, gleichgültig, ob ihm Luthers „Invocavit-Predigten“ vom März 1522 (WA 10/3, 1 ff) „unbekannt geblieben sind“ oder nicht, Luther hat in diesen Predigten zwar die Übereilung und mangelnde Rücksicht auf die Schwachen getadelt, mit der seine Freunde unter Führung des Rivalen Andreas Karlstadt bei der Anordnung der Kommunion unter beiderlei Gestalt zu Werke gegangen seien, und erst recht beim Versuch einer Abtuung der Bilder. Aber Luther hat in diesen Predigten keineswegs seine eigene damals – im November 1521 noch auf der Wartburg – entstandene Schrift über die Mönchsgelübde (De votis monasticis iudicium) widerrufen. Und in diesem Buch (WA 8, 573–669) wird ein unüberbrückbarer Gegensatz der Gelübde zur heiligen Schrift, zum Glauben, zur christlichen Freiheit, zu den Geboten und zur Vernunft statuiert. Heilige wie Bernhard, heißt es jetzt, seien nicht dank, sondern trotz ihrem Leben im Mönchtum selig geworden, durch ein Wunder.
Daß Luther auch in dieser Schrift (WA 8, 604, Z. 9 ff) „ein Mönchtum im Sinne eines weltlichen Berufs gelten läßt“[19], geht in seiner hinreißenden Polemik[20] völlig unter: „Faktisch hat .. Luthers Schrift wesentlich dazu beigetragen, daß das Mönchtum auf dem Boden der Reformation ein Ende fand“. Das sagt der Historiker Bernhard Lohse. Das befürchtete, denke ich, Staupitz, der zusehen mußte, wie „landaus landein“ die Ordensbrüder Luthers „alle Gelübde abwarfen“. Die Ordensbrüder Luthers, sagt man, richtiger wäre: die ganze junge Generation der von Staupitz fast zwanzig Jahre geführten Kongregation[21]. Denn Luther ließ sich zwar vom Rat eine neue Kutte spendieren, aber es wird nichts berichtet von Anstalten, ernst zu machen mit einer freien Lebensgemeinschaft ohne Gelübdezwang, ohne Messen gegen Geld und ohne Bettel, wie sie in den Beschlüssen des außerordentlichen Kongregationskapitels um Epiphanie 1522 in Wittenberg unter Leitung von Staupitz’ Nachfol-

ger Wenzeslaus Link vorgesehen war (Text: Nikolaus Müller, Die Wittenberger Bewegung 1521 und 1522, 2. Aufl. Leipzig 1911, S. 147–149 Nr. 67)[22]. Ich bin sicher, daß Staupitz in seinem letzten Brief Luthers De votis monasticis kennt; dafür spricht die Aufnahme von Begriffen wie „Glaube" und „Gerechtigkeit". Aber er findet die Schrift nicht überzeugend. Kannte er auch die Invocavit-Predigten, dann wäre seine Frage umso plausibler: „Warum also sollen die Herzen der Einfältigen in Verwirrung geraten?" Warum unterbleibt hier die Schonung der Schwachen?

Staupitz benutzt als Hauptargument den Grundsatz „abusus non tollit usum" wie hier schon in den Tübinger Predigten: In Sermo 20 – Vom falschen Eifer bei der Kritik („correctio") an den Mißständen, der in Schisma und Häresie endet – sagt er mit Johannes Gerson: „Wir haben nicht wenige Häretiker erlebt, die ihr falscher Eifer, die Ärgernisse im Haus des Herrn zu beseitigen, dazu verleitet hat, ohne Augenmaß bald gegen dies, bald gegen jenes zu predigen. Daher die Häresien wider den Primat der Kirche Roms, daß das Heil ohne ihn zu erlangen sei; wider die Regeltreue der Ordensleute, daß sie gegen die Freiheit des Gesetzes Christi verstoße. Da die Lebensweise mißfiel, mißriet die Lehrweise (dum displicuerunt mores, suborti sunt errores); wurde der Stand verworfen, wenn sich Mißstand an ihm zeigte (damnatus est status, quando in eo cernebatur abusus); so verfährt ein törichter Arzt, der, während er die Krankheit zu vertreiben versucht, den befallenen Leib zerstört" (TüPr 20, Z. 91–98). Und er schließt mit Augustin: „Wahrer Eifer will die Ärgernisse, die er im Haus des Herrn sieht, beseitigen (tollere), wenn er kann; wenn er es nicht kann, wird er sie mit Seufzen dulden (tolerare)" (99–101)[23].
Gerson, einer der führenden Konziliaristen in Konstanz, hatte Hus und Wyclif im Sinn, als er das schrieb. Staupitz konnte, als er Gersons Text als Zitat in seine Tübinger Predigten übernahm, nicht ahnen, daß er einst seinem Lieblingsschüler das gleiche Argument würde entgegenhalten müssen. Bei allem Haß auf die babylonische Gefangenschaft hatte Staupitz drei Jahre zuvor „nicht Luthers Konsequenz der Absage an das Papsttum gezogen"[24]. Den Grund offenbart er in einem Gebet in Sermo 19 der Tübinger Predigten: „Diejenigen die Dich so lieben, daß sie Deinetwegen sogar dem grausam wütenden Wolf, dem zu Deinem Dienst berufenen Stellvertreter Deines Christus, ihren Respekt nicht vorenthalten, die lieben doch über alle Maßen, da sie auch den härtesten Feind, den Trabanten des Teufels, Deinetwegen ehren" (TüPr 19, Z. 152–156; in Anlehnung an Oberman). Jetzt ist Staupitz nicht bereit, „Luthers reformatorischen Angriff" „auf das letzte große römische Bollwerk"[25] zu billigen oder – weniger pathetisch – das Kind mit dem Bad auszu-

schütten. Das Mönchtum ist für ihn eine menschliche Einrichtung, die Gelübde sind „Adiaphora“, Mitteldinge, wertneutral – wie dann in der Apologie des Augsburger Bekenntnisses (Bekenntnisschriften S. 384, Z. 21 ff)[26].
Die Freundschaft zwischen Staupitz und Luther ist durch die Reformation auf mehr als eine harte Probe gestellt worden.

Anmerkungen

1 Johann von Staupitz. Libellus De exsecutione aeternae praedestinationis, bearb. von Lothar Graf zu Dohna und Richard Wetzel. Mit der Übertragung von Christoph Scheurl ‚Ein nutzbarliches büchlein von der entlichen volziehung ewiger fürsehung‘, bearb. von L. Graf zu Dohna und Albrecht Endriß = Johann von Staupitz, Sämtliche Schriften. Abhandlungen, Predigten, Zeugnisse. Hg. von L. Graf zu Dohna und R. Wetzel, Bd. 2 Lat. Schriften II (Spätmittelalter und Reformation. Texte und Untersuchungen 14). Berlin 1979, hinfort: JvS 2.
Außer dem lat. und dt. Text von De exsecutione und der speziellen Einleitung der Bearbeiter hierzu enthält der Band ein Geleit von Heiko A. Oberman und eine Einführung in die Staupitz-Gesamtausgabe von Dohna und Wetzel mit den Abschnitten „Der Autor in seinen Werken“, „Von der Wirkungsgeschichte zur Forschungsgeschichte“, „Editionsstand“ und „Plan der Gesamtausgabe“.
Für die Staupitz-Literatur bis 1978, voran Theodor Kolde, Die deutsche Augustiner-Congregation und Johann von Staupitz (1879), sei ein für allemal auf unsere bibliographie raisonnée in JvS 2 (s.o.), Einführung 3 ff und das Literaturverzeichnis, dort 61 ff, verwiesen.
Aus der seither erschienenen Literatur seien hier zunächst nur Kurzbiographien und biographische Skizzen innerhalb größerer Darstellungen genannt:
Johann Sallaberger, Abt Johann von Staupitz (1522–1524), Luthers einstiger Freund und Vorgesetzter, in: Das älteste Kloster im deutschen Sprachraum St. Peter in Salzburg. [Katalog der] 3. Landesausstellung 15. Mai–26. Oktober 1982 ..., Salzburg 1982, S. 91–98 (Text) und S. 321–329 (Beschreibung der Exponate Nr. 304–327) mit Lit.
Wolfgang Günter, Johann von Staupitz (ca. 1468–1524), in: Katholische Theologen der Reformationszeit 5 (KLK 48), Münster 1988, S. 11–31 mit Lit.
Zumkeller, Reformbewegung (wie Anm. 11).
Markus Wriedt, Gnade und Erwählung. Eine Untersuchung zu Johann von Staupitz und Martin Luther (Veröffentlichungen des Instituts für Europäische Geschichte Mainz. Abt. Religionsgeschichte 141), Mainz 1991, S. 12–14.
Adolar Zumkeller OSA, Johannes von Staupitz und seine christliche Heilslehre (Cassiciacum 45), Würzburg 1994, S. 2–7.
Markus Wriedt, Johannes von Staupitz als Gründungsmitglied der Wittenberger Universität, in: 700 Jahre Wittenberg. Stadt Universität Reformation, ... hg. von Stefan Oehmig, Weimar 1995, S. 173–186 mit Lit.

2 Melanchthons Briefwechsel. Kritische und kommentierte Gesamtausgabe, hg. von Heinz Scheible. Regesten Bd. 1–8, bearb. von Heinz Scheible, ab Bd. 4 zusammen mit Walter Thüringer, Stuttgart-Bad Cannstatt 1977 ff; Texte Bd. 1 und 2 bearb. von Richard Wetzel, Bd. 2 unter Mitwirkung von Helga Scheible, 1991 und 1995. – Die einzelnen Briefe stehen in den Regesten und in den Texten unter jeweils derselben Nr.

3 Manfred Schulze, Fürsten und Reformation. Geistliche Reformpolitik weltlicher Fürsten vor der Reformation (Spätmittelalter und Reformation. Neue Reihe 2), Tübingen 1991. – Ralph Weinbrenner, Klosterreform im 15. Jahrhundert zwischen Ideal und Praxis. Der Au-

gustinereremit Andreas Proles (1429–1503) und die privilegierte Observanz (SpMA und Ref. NR 7, Tübingen 1996. – Mehr als im einzelnen belegt, ist alles im folgenden Gesagte einem bereits 1981 gehaltenen, aber erst 1989 publizierten Vortrag verpflichtet: Lothar Graf zu Dohna, Von der Ordensreform zur Reformation: Johann von Staupitz, in: Reformbemühungen und Observanzbestrebungen im spätmittelalterlichen Ordenswesen, hg. von Kaspar Elm (Ordensstudien 6 = Berliner Historische Studien 14), Berlin 1989, S. 571–584.

[4] Eine hierfür höchst ergiebige Fallstudie ist Dieter Stievermann, Der Augustinermönch Dr. Conrad Holzinger – Kaplan, Rat und Kanzler des Grafen bzw. Herzogs Eberhard d. J. von Württemberg am Ende des 15. Jahrhunderts, in: Mittel und Wege früher Verfassungspolitik (Spätmittelalter und Frühe Neuzeit. Tübinger Beiträge zur Geschichtsforschung 9), Stuttgart 1979, S. 356–405. Staupitz, der als Tübinger Prior persönlich befaßt war (ebd. 361. 392), hat bei seiner Äußerung über die „proprietarii" in den Tübinger Predigten (TüPr [wie Anm. 6] 20, 70–80) möglicherweise diesen Mann im Auge.

[5] Reinheit - Einheit in Anlehnung an Heiko A. Oberman, Luther. Mensch zwischen Gott und Teufel, Berlin 1981, S. 140.

[6] Johann von Staupitz, Tübinger Predigten [hinfort: TüPr], bearb. von Richard Wetzel = Staupitz, Schriften Bd. 1 Lat. Schr. I (Spätmittelalter und Reformation 13), Berlin usw. 1987 [hinfort: JvS 1]. Bisher ausführlichste Analyse des Aufbaus und Inhalts bei Wetzel, Staupitz Augustinianus (wie Anm. 12), S. 83–89.

[7] Ausführlich Richard Wetzel, Staupitz und Luther. Annäherung an eine Vorläufer-Figur: Blätter für Pfälzische Kirchengeschichte und Religiöse Volkskunde 58 (= Ebernburg-Hefte 25) (1991), S. 391(41)–395(67). Mit bibliographie raisonnée der seit JvS 2 erschienenen Literatur und einer Zeittafel.

[8] Wetzel, Annäherung (wie Anm. 7), 370(42).

[9] Oberman, Captivitas, in: Festschrift für Lothar Graf zu Dohna zum 65. Geburtstag, hg. von Andreas Mehl und Wolfgang Christian Schneider (Bd. 47 der THD-Schriftenreihe Wissenschaft und Technik), Darmstadt 1989, 97–106.

[10] Oberman, Duplex misericordia, in: Festschrift für Martin Anton Schmidt zum 70. Geburtstag (Theologische Zeitschrift Jg. 45, 1989, Heft 2/3), 231–243.

[11] Zumkeller, Reformbewegung: Analecta Augustiniana 52 (1989), 29–49.

[12] Richard Wetzel, Staupitz Augustinianus. An Account of the Reception of Augustine in his Tübingen Sermons, in: Via Augustini. Augustine in the Later Middle Ages, Renaissance and Reformation. Essays in Honor of Damasus Trapp O.S.A., ed. by Heiko A. Oberman, Frank A. James III, Eric Leeland Saak (Studies in Medieval and Reformation Thought 48), Leiden usw. 1991, S. 72–115.
Markus Wriedt, Staupitz und Augustin, Zur Kirchenväterrezeption am Vorabend der Reformation, in: Auctoritas Patrum. Contributions on the Reception of the Church Fathers in the 15th and 16th Century., hg. von Leif Grane, Alfred Schindler, Markus Wriedt (Veröffentlichungen des Instituts für Europäische Geschichte Mainz, Beiheft 37), Mainz 1993, S. 227–257.

[13] Anekdote: JvS 1 (wie Anm. 6), S. 3.

[14] Wetzel, Annäherung (wie Anm. 7), S. 374(46).

[15] Staupitz hielt sich schon seit mindestens Fasten 1512 mehrfach, nach Übergabe seiner Professur an Luther im Okt. 1512 sogar überwiegend in Salzburg auf, wo der Münchener Konvent eine Terminei besaß. Mit dem Fürsterzbischof Leonhard von Keutschach (+1519) verband ihn eine langjährige Freundschaft (so schon Dohna/Wetzel, JvS 2, S. 6 und 7 in Aufnahme der damals z. T. völlig neuen Erkenntnisse Sallabergers [s. das dortige Literaturverzeichnis]). Nach seinem vorzeitigen Verzicht auf das Amt des Generalvikars am 28. Aug. 1520 kehrte Staupitz nun endgültig nach Salzburg zurück. Wer neu dorthin kam, war Matthäus Lang, und zwar erst 1522. Staupitz war weder sein Hof-, noch sein Domprediger. Wenn Prediger, dann Prädikant in der Pfarrkirche der Dompfarrei, jetzt Kirche der Franziskaner. Diese Sachverhalte werden in fast allen Kurzbiographien und biographischen Skiz-

zen (wie Anm. 1) außer Sallaberger und Zumkeller – z. T. bis zur Verfälschung – verkürzt. Daß sich Staupitz auch in seinem theologischen Urteil nicht fremdbestimmen ließ, beweist sein Gutachten über den Lutheraner Stephan Agricola. Auch darüber ist in JvS 2, S. 8 das Nötige und Richtige gesagt; ausführlicher Dohna, Ordensreform (wie Anm. 3), 582 und 583; zuletzt hierzu Lothar Graf zu Dohna, Staupitz und Luther, in: Via Augustini (wie Anm. 12), S. 116–129, hier 124 f.

[16] Bei Zumkeller (wie Anm. 11), S. 34 f; dazu Weinbrenner S. 239.

[17] Bernhard Lohse, Mönchtum und Reformation. Luthers Auseinandersetzung mit dem Mönchsideal des Mittelalters. Forschungen zur Kirchen- und Dogmengeschichte 12, Göttingen 1963, S. 332–335. – Bernhard Lohse, Luthers Theologie, Göttingen 1995, S. 154.

[18] Oberman, Geleit zu JvS 2 (wie Anm. 1), S. IX und Duplex misericordia (wie Anm. 10), S. 234 f.

[19] Lohse, Theologie (wie Anm. 17), S. 161.

[20] Dt. durch Otto Scheel: Luthers Werke, hg. von Buchwald, Kawerau, Köstlin, Rade, Schneider u. a. Ergänzungsband 1, Berlin 1905, S. 209–376; die vorhin im Text genannte Stelle in WA 8 entspricht hier S. 260 f.

[21] Vgl. Dohna, Ordensreform (wie Anm. 3), 583. – „Vota passim omnia abiicitis" (WAB Nr. 726, Bd. 3, S. 263, Z. 18) heißt weder „Die Gelübde verwerft Ihr allmählich alle" (Kolde), noch „Überall verwerft Ihr alle Gelübde" (Walch), es läßt sich auch nicht mit „Videmini mihi damnare ..." (Z. 10 f) zusammenfassen zu „Verdammung von Adiaphora und des Mönchtums in Bausch und Bogen" (Clemen in seinem Kopfregest a.a.O. S. 263). Zu unterscheiden ist m. E. zwischen ‚verwerfen' („damnare" Z. 11, vgl. Z. 21) und ‚abwerfen', ‚wegwerfen' („abiicere" Z. 18); das eine geschieht in Gedanken und Worten, das andere im Handeln.

[22] Mit dem unzutreffenden Datum „Oktober 1521" aus Corpus Reformatorum 1 (1834), 456–458, zitiert von Bernhard Lohse, Die Kritik am Mönchtum bei Luther und Melanchthon, in: Luther und Melanchthon. Referate und Berichte des Zweiten Internationalen Kongresses für Lutherforschung Münster 8.–13. August 1960, hg. von Vilmos Vajta, Göttingen 1961, S. 129–145, hier 152 Anm. 80; wieder abgedruckt in: Bernhard Lohse, Evangelium in der Geschichte. Studien zu Luther und der Reformation. Zum 60. Geburtstag des Autors hg. von Leif Grane, Bernd Moeller und Otto Hermann Pesch, Göttingen 1988, S.80–96, hier 93.

[23] Zumkeller (wie Anm. 11), S. 47. Eine kleine Bosheit steckt darin, daß die Stelle hier und nicht schon S. 34 gebracht wird.

[24] Oberman, Captivitas (wie Anm. 9), S. 103.

[25] Lohse, Mönchtum (wie Anm. 17), S. 5.

[26] Lohse, Kritik (wie Anm. 22), S. 95 mit Anm. 105.

Gemeinschaft und Freundschaft im Predigerseminar Wittenberg

Von Peter Freybe

per mutuum colloquium et consolationem fratrum et sororum*

Praktische Fragen des Verstehens und der Verständigung gehören zum „täglich Brot" einer Lebens- und Arbeitsgemeinschaft im Predigerseminar. Verstehen und Verstandenwerden, das ist die Hermeneutik einer Gemeinschaft von Brüdern und Schwestern in wechselseitigem Gespräch und gegenseitiger Ermutigung. Die Erfahrung, daß Gott uns immer schon besser versteht, als wir uns verstehen können, das ist das Geschenk des Heiligen Geistes in der Gemeinschaft von Christenmenschen. Und wenn Theologen und Theologinnen, Pfarrer und Pfarrerinnen sich zu solchem Erfahrungsaustausch unter einem Dach zusammenfinden, dann kann bisweilen Mißverstehen und Mißverstandenwerden zu lähmenden Konflikten führen, – oder es wächst eine bleibende Freundschaft. „Ich habe hier Freunde gefunden!", sagte einer am Ende als Fazit seiner Predigerseminarszeit. Wie ist das zu verstehen?
So sollen denn Erfahrungen von Gemeinschaft und Freundschaft dokumentiert werden. Ein Blick zurück in das entstaubte Archiv zur Geschichte des Predigerseminars Wittenberg (I), ein Innehalten bei Martin Luthers Formel (II), die Aufnahme einer wiederentdeckten Spur (III) und eine Orientierung zur Bewährung in unruhiger Zeit (IV) erzählen vom wechselvollen Geschehen im ehemals Königlichen Predigerseminar Wittenberg.

Die Seminargemeinschaft (I)

In dem durch Friedrich Wilhelm III. laut Kabinettsordre vom 6. März 1816 am 31. Oktober 1817 eröffneten Predigerseminar konstituierte sich sehr bald die „Seminargemeinschaft".[1] Diese hatte von 1819 bis zum 14. März 1934 wesentlichen Anteil an der Gestaltung der Arbeit und des Lebens im Predigerseminar. Ein gewählter Sekretär hielt die Verbindung zwischen Kandidaten und Lehrkörper und führte die Akten der Seminargemeinschaft. Diese lagen unter Verschluß beim Sekretär und konnten nur von Mitgliedern der Se-

Seminargemeinschaft

zu Wittenberg.

Sommerbericht 1922.

Zu einem am 9. November, abends, stattfindenden

Luther-Rauchkolleg

lädt die S. G. auch dieses Jahr die alten Brüder herzlichst ein

Der Sekretär.
Ernst Boeters.

Lutherstadt Wittenberg, Oktober 1922.

Ein kurzer Gruß wenigstens von unserem alten Seminar und aus der lieben Lutherstadt, auf die in diesem Jahre wieder die Blicke der gesamten evangelischen Christenheit gerichtet waren, soll trotz der ungeheuerlichen Teuerung auch dieses Mal wieder den Brüdern zugehen. Ein Wort des Dankes soll er enthalten und ein Wort der Bitte. Dank, heißen Dank allen, die dazu mitgeholfen haben, unseren gefallenen Brüdern ein würdiges Ehrenmal zu setzen. Schade, daß nicht mehr als 30 an der stimmungsvollen Feier, die am Nachmittag des bedeutungsvollen 5. März, der Rückkehr Luthers von der Wartburg, stattfand, teilnehmen konnten. Von den Angehörigen durften wir die Witwe von Brd. Rhode mit ihrem erwachsenen Sohne, sowie dessen Schwiegervater unseren verehrten langjährigen Vorsitzenden Brd. Wernecke, ferner die Witwe und Schwester von Brd. Möller, sowie den Vater und zwei Schwestern von Brd. Hoffmann begrüßen. Der Ober-Kirchen-Rat war durch seinen Präsidenten, seinen geistlichen Vize-Präsidenten, sowie 2 weiteren Mitgliedern, unter ihnen unser alter Brd. Dibelius, der die Weiherede hielt, vertreten, das Konsistorium durch seinen Präsidenten und Generalsuperintendent D. Schöttler, die Regierung zu Merseburg durch 2 höhere Beamte. Die Gäste versammelten sich auf dem oberen Flur des Augusteums gegenüber der reichgeschmückten Tafel, deren von grünen Kränzen umrahmter dunkler Untergrund um so leuchtender die in kunstvoller Malerei ausgeführte Goldschrift hervortreten ließ. Wie aus einem Altarschrein strahlen die 11 Namen der teueren Toten uns entgegen, indes die beiden Seitenflügel die Sprüche tragen: „Niemand hat größere Liebe denn die, daß er sein Leben läßt für seine Freunde“

Seminarbericht der Seminargemeinschaft des Predigerseminars von 1922

minargemeinschaft eingesehen werden, nicht von Direktoren und Dozenten. Die Versammlung der Seminargemeinschaft nannte sich „Reichstag" (seit 1908 „Konvent"). Aus den Reichstagsprotokollen entstanden die handschriftlichen Geheimberichte der jeweiligen Sekretäre. Im Unterschied dazu wurden die offiziellen Jahresberichte der Seminargemeinschaft gedruckt, seit 1877 unter der Regie der Altbruderschaft (die Ehemaligen).

Von Anfang an empfanden die Kandidaten ihr Zusammensein im ehrwürdigen Predigerseminar nicht als etwas Zufälliges und Äußeres. Ein verbindendes und verbindliches Gemeinschaftsgefühl prägte das Haus. Ein romantisches bzw. rationalistisches Freiheitspathos setzte auf Selbständigkeit, pietistische Impulse drängten auf innere Gemeinschaft. Freiheit und Autorität waren zwei komplementäre Größen. Am 21. Juni 1819 wurde von der Versammlung der Kandidaten erstmals ein Sekretär gewählt. Er war maßgeblich damit beauftragt, über den Geist gemeinsamer Verantwortlichkeit für das innere und äußere Leben der Brüder zu wachen. Zeitweise gehörte neben dem eigenen Siegel auch ein „Hirtenstab" zu den Insignien des Sekretärs als Zeichen nicht erst einer zukünftigen, sondern schon einer gegenwärtigen Verantwortung und Verpflichtung. Zu den besonderen Pflichten des Sekretärs gehörte die Verwaltung der „Armenkasse", die aus festen Beiträgen der Seminargemeinschaft zur sozialen Unterstützung für „bedürftige und würdige Wittenberger Stadt=Arme (in seltenen Fällen auch andere Hilfsbedürftige)" geführt wurde. Gemeinsam mit dem Sekretär übernahm die Seminargemeinschaft weitgehend auch Verantwortung in der Auswahl und Gestaltung der Kollegthemen, sowie in der Durchführung und Leitung der Seminararbeit. Und dies geschah gelegentlich auch gegen den Widerstand des Lehrkörpers. Es gab nie eine offizielle Anerkennung des Sekretärspostens und der sich daraus entwickelnden und konstituierenden „Seminargemeinschaft". Eine gesamtkirchliche Institution gewährte einer selbstbestimmtem Institution Raum unter ihrem Dach. Aus den Statuten des Sekretärs wurden bald die Statuten der „Seminargemeinschaft".[2] Und das Direktorium tat gut daran, war zuzeiten sogar stolz darauf, diese Verantwortlichkeiten gewähren zu lassen und nicht zu unterbinden. Selbstverantwortung und Selbstdisziplinierung der Gemeinschaft lag so weitgehend in den Händen der „Seminargemeinschaft". Diese Gemeinschaft und das Direktorium waren insofern sehr wohl ein Gegenüber wie auch eine wechselseitig akzeptierte Verantwortungsgemeinschaft. Die „leiblichen Bindemittel" auf den Versammlungen dieser Gemeinschaft bildeten, wie in den Statuten von 1836 ausdrücklich erwähnt, Tee und Tabak; 1838 hat der Kakao den Tee verdrängt.

Aus den Jahresberichten der Sekretäre wird deutlich, wie prägend die Erfahrung von Gemeinschaft für die Kandidaten war. „Gemeinschaft" ist hier ganz offenkundig gleichsam als eine Dimension der Kirche verstanden, die sich als „Union“ definiert hat. Gemeinschaft bei der Arbeit, im Leben und Lernen, im Glauben, wie „überhaupt ... in Zeit und Ewigkeit“, das ist der Geist der Kirche der Altpreußischen Union, der Evangelischen Kirche der Union. Beim Abschied aus dem Predigerseminar hieß es, „es möchten die Brüder, wo ihnen auch immer ihr Dienst gewiesen würde, stets zweierlei zu verwirklichen suchen: eine Arbeitsgemeinschaft, ähnlich wie sie sie hier in der Seminargemeinschaft gefunden hätten und als Grundlage für jeden Dienst die Glaubensgemeinschaft mit dem, der unser aller Bruder geworden sei, damit wir überhaupt Gemeinschaft haben könnten in Zeit und Ewigkeit“.[3]

„Und noch eins, was nie bedacht wird und was doch größte Bedeutung gewinnt: Der innere Gewinn einer gemeinsamen Reise. Bei uns geht das Sprichwort um: „Die Brüder bekommen Gemeinschaftsgefühl erst durch die Studienreise“. Bei gemeinsamer Fahrt erschließen sich die Herzen und ein Gedankenaustausch findet statt, der an Wert oftmals eine Kollegdebatte übertrifft“.[4] „Ich glaube, wir haben auch in diesem Semester den Eindruck gehabt von mancherlei Schwierigkeiten, die sich aus unserem so engen Zusammenleben ergeben... Aber ich bekenne, wir haben auch in diesem Semester trotzdem noch mehr Segen der Gemeinschaft gespürt.“[5]

„Was war nun eigentlich so schön an dem Semester? Daß wir in Arbeit und Freude eine wirkliche Bruderschaft waren“.[6] Das ist der letzte Jahresbericht vor der Auflösung bzw. der Unterbrechung des Predigerseminars und damit der Abschaffung des Sekretärs und der eigenverantworteten Arbeit der Seminargemeinschaft durch den Reichsbischof Ludwig Müller am 14. März 1934 (s. u.).

Es war natürlicherweise nicht immer „so schön“. „Das Zusammensein in der Seminargemeinschaft hat uns immer wieder beschäftigt; es drohte oft genug ein Nebeneinanderherleben und Auseinanderleben zu werden... Das Wittenberger Jahr hat uns allen viel Förderung und Anregung gebracht, eine rechte Seminargemeinschaft ist nicht erreicht worden... Möge die nachfolgende Generation um so ernster darum ringen.“[7] Eine besondere Geschichte ist in den vier geheimen handschriftlichen Semesterberichten über die Zeit vom 25. Februar 1907 bis zum 9. März 1909 (ehemals) „unter dem Siegel der Seminargemeinschaft“ aufbewahrt.[8] Sie sind von den Sekretären Martin Albertz, Fritz Scholl, Heinrich Heinemann und Theodor Knolle verfaßt und unterschrieben. Enttäuschtes Vertrauen hatte die Verständigung und das Verständnis füreinander aufs Schwerste belastet. Der Ephorus und Vorsteher des Direktoriums Karl Dunkmann hatte Kenntnis vom seine Person betreffenden Inhalt der geheimen Berichte erhalten. Das „silentium“ war verletzt, der Vertrauensbruch führte zum Eklat. Es gab schon länger ein gespanntes Verhältnis zwischen

Seminargemeinschaft und Ephorus. Die offiziellen Berichte sagen wenig darüber, die geheimen reden offen von den Belastungen. Die Seminargemeinschaft sah sich in ihrer Selbständigkeit und Freiheit bedroht und erlebte den Ephorus als kalt und selbstherrlich. Das mußte den Ephorus in offenen Konflikt mit der Seminargemeinschaft bringen. Andererseits zeugten die Berichte durchaus von einem ernsthaften Ringen um Verstehen und Verstandenwerden. Unter dem 1. 2. 1908 schreibt der Sekretär trotz allem: Jetzt könnten „die beiden Ideale, die mir immer vorgeschwebt haben, zur Verwirklichung kommen: Ein freundschaftliches Zusammenhalten der Seminargemeinschaft unter sich und ein tiefgegründetes inneres Verhältnis zwischen ihr und dem Direktorium bei völliger Wahrung der beiderseitigen Rechte". „Wohl steht auch jetzt noch das Ideal wahrhaft brüderlicher Gesinnung hoch über den erreichten Zielen."[9] Der Semesterbericht über die Zeit von Februar bis September 1908[10] zeichnet sich auch angesichts der spannungsvollen Situation besonders aus durch eine verständnisvolle und um Verstehen ringende Beschreibung des Verhältnisses zwischen Seminargemeinschaft und Lehrkörper, eine Verstehensbemühung gerade im Konflikt: „An Versuchen des Ephorus, die Brüder in ein freundschaftliches Verhältnis zu sich zu bringen, hat es nicht gefehlt." Das wird u. a. an Einladungen zur Taufe seines Kindes, aus Anlaß der Genesung seiner Frau und im Zusammenhang mehrerer gemeinsamer Ausflüge festgemacht. Das Verhältnis des Studieninspektors Johannes Meßner zur Seminargemeinschaft wird damit beschrieben, „daß es durch das Entgegenkommen des Letzteren wärmer und freundschaftlicher geworden ist". Der Mitdirektor und Superintendent Friedrich Orthmann „hat sich bisher als ein äußerst wohlwollender, allen Brüdern in gleicher Weise nicht als Vorgesetzter, sondern man darf wohl ohne Übertreibung sagen, als väterlicher Freund entgegentretender Mann gezeigt". Die Verbindung nach außen war ein fester Halt für die Seminargemeinschaft. Diese wurde durch die Jahresberichte, Brüdertage, Besuche zu Familienfesten, besondere Sorge und Fürsorge in den Kriegszeiten wechselseitig gestärkt. „Das Verhältnis zu den alten Brüdern war ein fast noch engeres und freundschaftlicheres, als in früheren Semestern."

Das Verhältnis der Brüder untereinander verdient es, in der Beschreibung ausführlicher wiedergegeben zu werden. Sind doch hier beinahe alle in Betracht kommenden Aspekte im Zusammenhang angesprochen und dargestellt. „An Spannungen und Reibungen hat es nicht gefehlt, doch sind sie nie so ernst gewesen, daß sie nicht durch persönliche Verständigung hätten erledigt werden können. Man wird sagen dürfen, daß unter den Brüdern mehr und mehr ein freundschaftlicher Ton herrschend geworden ist, wie er in manchem früheren Semester nicht möglich gewesen wäre. daß nach wie vor un-

überbrückbare Gegensätze der Charaktere wie der theologischen Anschauungen innerhalb der Seminargemeinschaft bestehen, ist selbstverständlich, ebenso daß sich einzelne Freundesgruppen gebildet haben, deren Glieder unter sich einen engeren Verkehr pflegen, als mit den übrigen Brüdern. Doch ist über Cliquenwesen und Mangel an Gemeinschaftsbewußtsein im allgemeinen nicht zu klagen gewesen." Neben den verbindenden Erfahrungen bei den „Studienfahrten" wird immer wieder auch ausdrücklich über die „praktische Arbeit" im Jugendverein in Wittenberg berichtet. „Die gleichen Sorgen und die gleichen Freuden haben ein festes Band um die Mitglieder des Helferkreises geschlungen."[11]
Trotz solch wohlwollender und konstruktiver Jahresberichte der Seminargemeinschaft wurde durch Erlaß des Evangelischen Oberkirchenrates vom 28. 10. 1908 der Seminargemeinschaft untersagt, „geheime" Berichte zu schreiben. Die zitierten Berichte sollten vernichtet oder sekretiert werden. Die Seminargemeinschaft ließ sie daraufhin in Berlin unter dem Siegel der Seminargemeinschaft auf 30 Jahre sekretieren (und sie werden hier erstmals auszugsweise öffentlich).
Da durch besonders feierliche Aufnahme in die Seminargemeinschaft der Verdacht eines „korporativen Charakters" entstanden war (in die „Seminargemeinschaft" trat man ein und konnte austreten bzw. ausgeschlossen werden), wurde im Mai 1909 verfügt, „daß nunmehr ipso facto alle in das Seminar eintretenden Brüder der Seminargemeinschaft angehören".[12] Kehren wir noch einmal zurück zu den Anfängen.[13] Die Nr. 1 in der fortlaufenden Liste der Brüder am Predigerseminar Wittenberg und der spätere Professor am Seminar Heinrich Eduard Schmieder erinnert an die Stiftung des Predigerseminars im Jahre 1817 zum Andenken Martin Luthers. Wenn einer unter uns wäre, der seinen Trost und Zuversicht „allein auf Christo" setzte, „ihn wollten wir alle als Luthers Stellvertreter unter uns haben. Wofern aber kein solcher sich findet, so laßt uns brüderlich einander unsern großen Mangel gestehen, uns gegenseitig ermuntern, stärken, trösten, und dazu behülflich sein, daß wir wahre Christen werden, wie Luther einer war". Hier klingt unüberhörbar das mutuum colloquium et consolatio Luthers an, wie eine Stiftungsformel für das Predigerseminar.
Das Eingeständnis der eigenen Grenzen vor Gott und den Brüdern und das gegenseitige Trösten und Ermuntern, aus solcher Gewißheit und Zuversicht des Glaubens und Vertrauens wird Gemeinschaft gestiftet. In einem „Bund von Freunden", die nach der „Erkenntnis Christi und nach der Heiligung ihrer Seelen" streben, werden die Freunde „gemeinschaftlich die rechte Lebenstheologie treiben".[14] Worin alle diese Freundschaft und Gemeinschaft gründet, ist tägliche Erfahrung in solch einem Haus. „Denn fast jeden Tag

sieht er seine Freunde zum Gebet vereinigt, das muß wecken und stärken."[15] Und in den Kollegien und in Privatgesprächen gibt es ständig die Gelegenheit, „einzelne Aussprüche der heiligen Schrift" lieb und lebendig werden zu lassen. Der ganze Wert der Gemeinschaft wird sich „dadurch beweisen, daß der Wankende durch die Gegenwart, ja schon durch den Gedanken an die übrigen Freunde vor dem Falle gesichert, der Traurige durch den Zuspruch des Mitglieds getröstet, der Mißmutige durch die ähnlichen Erfahrungen der andern aufgerichtet wird".[16] Schmieder erinnert damit ausdrücklich und in Ausführungen an die drei Regeln aus Luthers Vorrede von 1539: Oratio, Meditatio, Tentatio![17]

Die geistliche Begründung und Gründung von Gemeinschaft und Freundschaft in einem kirchlichen Seminar mit Rückbesinnung auf Martin Luther ist unverkennbar. „Auch findet man historisch überall Freundschaft bei der Bildung der Kirche."[18] Der Zeitgeist, der durch Friedrich Daniel Ernst Schleiermacher inspiriert ist, scheint ebenso gegenwärtig zu sein (ohne daß expressis verbis auf ihn Bezug genommen wird!). „Nämlich: die Geschwisterliebe ist die ursprüngliche Freundschaft zwischen den Geschlechtern...(auch ist die Bruderliebe die ursprüngliche männliche Freundschaft, daher man dem Freunde keinen schöneren Namen zu geben weiß als Bruder)."[19] Der innere und äußere Zusammenhang von Gemeinschaft, Freundschaft und Union ist für diese Kirche offenkundig.

Der erste Direktor am Wittenberger Predigerseminar der Altpreußischen Union Heinrich Leonhard Heubner sprach schon am 30. 11. 1817 in einer Abendandacht den Wunsch aus, „daß sich heilige Freundschaftsverhältnisse unter uns schließen, daß wir auch mit ihm in das Verhältnis einer solchen christlichen Freundschaft treten möchten", notiert Schmieder.[20] Und er berichtet weiter: „Alle Morgen kamen wir um 7 Uhr auf der Stube eines der Unseren ... zusammen. Da sangen wir mit Begleitung des Instruments einen Choral, hielten dann ein stilles Gebet und gingen endlich mit Händedruck und Kuß auseinander."[21] (Die Brüder erlebten bald, wie „zart und gefährlich dieses Zeichen der heiligen Freundschaft ist", und nahmen wieder Abstand davon.)

Nach dem Erleben eines gemeinsamen festlichen Essens mit Seminargemeinschaft, Lehrkörper und den Geistlichen der Stadt berichtet Schmieder: „Der Geist brüderlicher Liebe wehte über uns bei diesem Freudenmahle: wir fühlten inniger als sonst unsere enge heilige Verbindung. Die meisten, die bis diesen Tag noch weniger vertraut gewesen waren, wollten von nun an Brüder sein. Wir nennen uns daher jetzt fast alle einander Du, und wenn ich von mir auf die anderen schließen darf, so liegt diesem Du wahrlich eine brüderliche Gesinnung zu Grunde."[22] In dem Bericht über die Zeit des Predigerseminars

von 1817 bis 1862 heißt es zusammenfassend für die „Gegenwart“: „Das Predigerseminar ist eine Lebens-, Gebets- und Studiengemeinschaft zur nächsten und letzten Vorbereitung für das evangelische Seelsorgeamt.“[23]
Und Otto Dibelius, die Nr. 1075 in der Liste der Brüder, fügt 100 Jahre nach der Stiftung des Predigerseminars Wittenberg hinzu: „Ein Predigerseminar, auf Luthers Grund und Boden – das ist zugleich die Gewähr für eine Einheitlichkeit des Geistes in Arbeit und Leben, bei Lernenden und Lehrenden.“[24]

Seelsorge und Geschwisterschaft (II)

Unter dem Titel „Seelsorge und Bruderschaft“ hat Jürgen Henkys (1970)[25] Luthers Formel „per mutuum colloquium et consolationem fratrum“[26] „in ihrer gegenwärtigen Verwendung und ursprünglichen Bedeutung“ in gültiger Weise durchdacht und beschrieben. In immer wieder neuen Akzentuierungen taucht diese Formel vor allem im Zusammenhang der Seelsorgelehren unseres Jahrhunderts auf.[27] Ein anderer Kontext für Luthers Satz ist die Lutherliteratur überhaupt, vorgeführt an exemplarischen Beispielen.[28]
In einer „Exegese der Formel aus ihrem Zusammenhang“ und unter besonderer Berücksichtigung einer Predigt Luthers zu Mt 18, 19f. von 1537[29] wird als Ergebnis überzeugend gegen eine Viergliedrigkeit eine Fünfgliedrigkeit des Artikels „Vom Evangelio“ herausgearbeitet. Das Evangelium eignet sich also in fünffacher Weise dem Menschen zu: 1. „durchs mundlich Wort“, 2. „durch die Taufe“, 3. „durchs heilig Sakrament des Altars“, 4. „durch die Kraft der Schlussel“, 5. „und auch per mutuum colloquium et consolationem fratrum“. „Es muß dabei bleiben: Das...mutuum colloquium ist eine Gestalt der Heilszueignung neben anderen, ...mit anderen gleichen Rechtes.“[30] Damit ist zum einen sowohl die Vielgestaltigkeit als auch die je eigene Besonderheit der Heilszusage des Evangeliums gesichert. Zum andern ist das mutuum, die Wechselseitigkeit sowohl für das Gespräch als auch für die Tröstung geltend gemacht.[31]
Mit der Besonderheit der Heilszusage des Evangeliums durch Gespräch und Tröstung und mit der grundsätzlichen Wechselseitigkeit und Gegenseitigkeit dabei sind zwei Kriterien gegeben, die bei der Beurteilung der Geschichte und Geschichten aus der Gemeinschaft des Predigerseminars maßgebend sein sollten. Die vielfältigen sich durch die Predigerseminars-Geschichte durchhaltenden Äußerungen über Gemeinschaft und Freundschaft sollten nicht vorschnellen Verdächtigungen unterworfen werden. Die vita communis als Lebens-, Arbeits- und Glaubensgemeinschaft ist voller Erfahrungen geistlichen Lebens – und das schließt Sehnsüchte und Enttäuschungen mit ein!

Stube Nr. 16 im Predigerseminar

Das mutuum als die Wechselseitigkeit zwischen den Generationen und als die Wechselseitigkeit auch zwischen den Geschlechtern ist voller Chancen – und Gefährdungen. Manche Ehe- und Partnerbeziehung wurde dabei schon in schmerzvoller Weise auf die Probe gestellt. Und auch zwischen Dozenten und Kandidatinnen und Kandidaten sind bleibende Freundschaften gewachsen. „Ich habe hier Freunde gefunden." So geschieht per mutuum colloquium et consolationem fratrum et sororum – seit 1968/69 gab es mit Renate Gericke die erste Frau als Kandidatin im Predigerseminar Wittenberg! –[32] auch wechselseitige Seelsorge an Seelsorgern und Seelsorgerinnen.

Theologie und Freundschaft (III)

Ist es ein Zufall, daß das Thema „Freundschaft" in diesem Jahrhundert gerade aus dem Bereich der Predigerseminarserfahrungen neue theologische Impulse freigesetzt hat? Ist es ein Ausdruck jenes mutuum Martin Luthers, daß

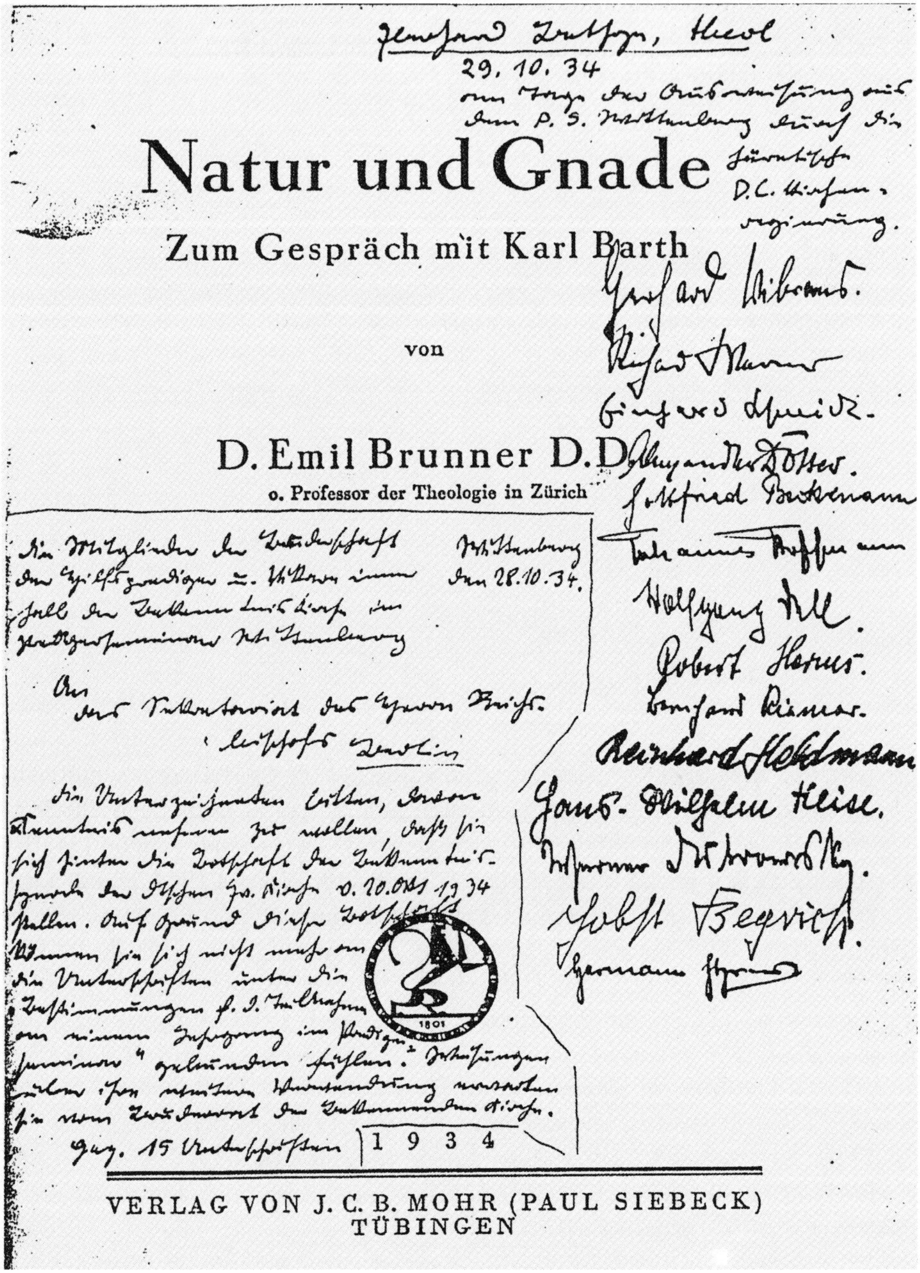

29. 10. 34

Natur und Gnade

Zum Gespräch mit Karl Barth

von

D. Emil Brunner D.D.

o. Professor der Theologie in Zürich

1934

VERLAG VON J. C. B. MOHR (PAUL SIEBECK)
TÜBINGEN

Text des Protestschreibens der Kandidaten des Predigerseminars an den Reichsbischof in Berlin, Eberhard Bethge mit 15 Unterschriften, 28. 10. 1934.

„Wechselwirkungen" der Freundschaft zum Thema einer Festschrift werden konnten – „Theologie und Freundschaft", für Eberhard Bethge?[33]
Eberhard Bethge war 1934 Kandidat im Wittenberger Predigerseminar. Nach der Schließung der Predigerseminare der Altpreußischen Union durch den Reichsbischof Ludwig Müller am 14. März 1934 wurde zum Herbst ein neuer verkürzter und vom Evangelischen Oberkirchenrat dominierter Kurs nach Wittenberg einberufen. Eberhard Bethge gehörte zu den 15 der 20 Provinzsächsischen Kandidaten des Herbstsemesters 1934/1935, die unter dem 28. Oktober 1934 in einem Brief an den Reichsbischof sich dazu bekannt haben: „Die Unterzeichneten bitten, davon Kenntnis nehmen zu wollen, daß sie sich hinter die Botschaft der Bekenntnissynode der Deutschen Evangelischen Kirche vom 20. Oktober 1934 stellen. Auf Grund dieser Botschaft können sie sich nicht an die ‚Bestimmungen für die Teilnahme an einem Lehrgang im Predigerseminar gebunden fühlen. Weisungen über ihre weitere Verwendung erwarten sie vom Bruderrat der Bekennenden Kirche. gez. 15 Unterschriften". Eberhard Bethge berichtet: „Schon am nächsten Vormittag kam ein Telegramm vom Reichsbischof aus Berlin, das unter Androhung gerichtlicher Maßnahmen wegen Hausfriedensbruchs das Haus räumen ließ."[34] Solche politischen Konsequenzen konnten die geistlichen Erfahrungen der Seminargemeinschaft nach sich ziehen.
Der andere Freund, Dietrich Bonhoeffer, dann u. a. Direktor am Predigerseminar Finkenwalde,[35] getragen von Bruderschaft und Freundschaft, hat sein Leben hingegeben. So waren die Freunde, ehemals Lehrer und Schüler, in Widerstand und Ergebung bleibend miteinander verbunden. Dietrich Bonhoeffers Gedicht „Der Freund" war denn auch das entsprechende Geburtstagsgeschenk des Freundes an den Freund zu Ende August 1944.[36] Über Dietrich Bonhoeffers Erfahrungen mit der „communio sanctorum" und über die vielen Facetten der Wechselwirkungen in Bruderschaft und Freundschaft ist ein reicher Schatz aufgehoben und immer neu zu entdecken in der benannten Festschrift zu „Theologie und Freundschaft". Daß Dietrich Bonhoeffer die Freundschaft wie ein Arkanum und als ein fünftes Mandat[37] als das Größte unter den menschlichen Beziehungen darstellen konnte, wird noch zu denken geben. Daß er in seinem Gedicht den Freund „wie die Kornblume im Ährenfeld" in Beziehung setzt, ist weitaus mehr als „Romantik". Jedenfalls „Halbgötter haben keine Freunde, nur Werkzeuge, die sie nach Willkür gebrauchen oder wegwerfen".[38]
So menschlich geht es zu, wo geistliches Leben in Freundschaft gelingt. Und, ob ein treuer Freund mehr liebt und fester beisteht als ein Bruder (Prov. 18, 24), das mag in wechselseitiger Geschwisterschaft und Freundschaft erlebt und geprüft werden.[39]

Tradition im Wandel und Theologie zum gemeinsamen Nutzen (IV)

„Tradition im Wandel", der Titel wiederum einer Festschrift,[40] kann als Programm dafür gelten, daß dasselbe unter anderen Bedingungen je neu zu bewahren ist und sich je neu zu bewähren hat. Ephorus Paul Wetzel hatte das 1966 für seine Zeit so formuliert: "Eine große Gabe ist zu bewahren in allem Wirbel des Tages, die Gemeinschaft zu bewähren in allen Verschiedenheiten und trotz aller Gegensätze."[41] Zur gleichen Zeit wurde im alten Archivgewölbe des Predigerseminars erstmals eine hauseigene Kapelle als ständiger Raum der Andacht und Stille hergerichtet und gestaltet. Die Seminargemeinschaft hat ein neues geistliches Zentrum. „So wird vorab aller theologischen Ausbildung das Predigerseminar heute zur Stätte der Erprobung des Evangeliums auf seine uns bindende Gemeinschaftskraft."[42] Ein Proprium der Predigerseminare der Evangelischen Kirche der Union wurde in diesen Zeiten durch die Einrichtung einer eigenen Kirchenmusikerstelle geboren: Das vielseitige und vielstimmige Angebot der Musik, die mit den gemeinsamen und Wechselgesängen so manchen Mißklang überstimmt und tragende Gemeinschaft in Übereinstimmung bringt.

Seit 1977 wurde dann ein neues Ausbildungsmodell in den EKU-Seminaren eingeführt.Waren die Kandidaten im 19. Jahrhundert für zwei bis drei Jahre (u. a. weil es nicht genug Pfarrstellen gab!), seit Anfang diesen Jahrhunderts für ein Jahr im Seminar, so besagt das neue Modell: Sechs Monate Grundkurs, Besuche der Dozenten vor Ort in den ersten Gemeinden, drei Aufbaukurse in den ersten drei Berufsjahren. Die Gruppen sind so jedenfalls über vier Jahre hin in Beziehung und wechselseitigem Erfahrungs-Austausch. So mancher Aufbaukurs war schon ein wahrer Auferbauungs-Kurs. „Kommunikation" – so heißt jetzt das Grundwort für die Grunderfahrung des Lebens und Lernens. Und kommunikative Kompetenz wird dementsprechend zu einem anzustrebenden Ziel. „Kommunikation in Verkündigung und Seelsorge", diese Konzeption eröffnet ein umfassendes Lern- und Übungsfeld zur Verbesserung der Kommunikations- und Kooperationsfähigkeit der werdenden Pfarrer und Pfarrerinnen.

Bunte Früchte dieses Modells sind festgehalten in der „Theologie zum gemeinsamen Nutzen".[43] „Biographie und Theologie", „Gemeinde und Predigerseminar", das waren jetzt die bewegenden Themen. Impulse aus der Seelsorgebewegung, der Selbsterfahrung und der Gruppendynamik prägten neu die Gemeinschaft von Männern und Frauen. Das tägliche Bibelgespräch in kleinen Gruppen, das gruppenbezogene Lernen bei der thematischen Arbeit und die vielfältigen informellen Gespräche auf Zimmern und Fluren fördern

die Lebens- und Lerngemeinschaft – per mutuum colloquium et consolationem fratrum et sororum. Vom damaligen Direktor Hansjürgen Schulz wurde das frei übersetzt mit: „Erfahrungsaustausch und Ermutigung unter Geschwistern“.[44]
Ein Traum bleibt: Die Seminargemeinschaft als eine „Familie“? Warum wird auch im Neuen Testament ausgerechnet die Familien-Metaphorik für eine christliche Gemeinschaft bemüht? Manfred Josuttis hat in seiner Pastoraltheologie[45] an das Gegebene erinnert. Familie als das Harmonie-Modell, das scheint überlebt. Aber, Familie als das natürliche Konflikt-Modell, das sollte Zukunft eröffnen. „Denn in der Familie erfährt jeder die grundlegenden Konflikte, die ihn lebenslang begleiten.“[46] Und hier können sie also von Anfang an geregelt und manche auch gelöst werden. Auf eine Seminargemeinschaft übertragen: gerade hier kann der Ort sein, wo Konflikte wahrgenommen, ausgehalten und bearbeitet werden. Das vielbeschworene Wort von einer „Streitkultur“ kann hier eingelöst werden, die Kritikfähigkeit kann passiv und aktiv gelernt und damit die Konfliktfähigkeit gefestigt werden. Und getragen durch ein geistliches Leben, geübt durch eine praxis pietatis, begleitet durch viel Musik hat die Gemeinschaft von Brüdern und Schwestern ständige und wechselseitige Möglichkeiten für Gespräch, Beratung, Tröstung.
Gegenwärtig sind in den Kursen am Predigerseminar Wittenberg zwei scheinbar gegenläufige Tendenzen der Tradition im Wandel zu beobachten: zum einen die fortschreitende Individualisierung, zum anderen eine Wiederentdeckung gemeinsamen geistlichen Lebens. Die zunehmende Individualisierung und Pluralisierung stellt das Konzept einer Lebens- und Lerngemeinschaft neu in Frage – und/oder macht die Notwendigkeit solch eines kommunikativen Modells um so dringlicher.
Die Vielfalt und Verschiedenheit von Charakteren und Temperamenten, von soziologischer Herkunft und kirchlicher Ausbildung, von Frömmigkeitsformen und theologischen Prägungen, von philosophischen Erkenntnissen und politischen Überzeugungen der Männer und Frauen aus den bleibend unterschiedenen und bleibend verbundenen Landeskirchen in Ost- und Westdeutschland ist die besondere Chance für ein Predigerseminar der Evangelischen Kirche der Union.
Geschwisterliche Gemeinschaft, Freundschaft, auch Familie sind jedenfalls nicht das „fünfte Rad am Wagen“, wo es um eine christliche Gemeinschaft geht, eher schon eine „Kornblume im Ährenfeld“. Wo es um das Evangelium geht, da hat das „Fünfte“ seine besondere eigene Würde: per mutuum colloquium et consolationem fratrum et sororum.

Anmerkungen:

* „durch wechelseitiges Gespräch und wechselseitige Tröstung der Brüder und Schwestern" (vgl. Martin Luther, Schmalkaldische Artikel von 1537), das darf als die „Stiftungsformel" des Evangelischen Predigerseminars Wittenberg gelten. Unter dieser Überschrift erschien der Beitrag erstmals nur leicht verändert in der Festschrift für den ehemaligen Vorsitzenden des Kuratoriums des Predigerseminars Bischof Dr. Christoph Demke „Wege zum Einverständnis", hg. v. Eberhard Jüngel, Leipzig 1997.

1 Vgl. „Statuten für das Secretariat des Prediger=Seminars zu Wittenberg", mit Statutenänderungen 1836-1843, 1838-1843, 1845-1860, Archiv des Predigerseminars Nr. 546;
Vgl. zum Ganzen auch O. Dibelius, Das Königliche Predigerseminar zu Wittenberg 1817 bis 1917, 1917, zur Seminargemeinschaft bes. 123ff. und 310ff.

2 Ein eigenes Thema ist die wechselvolle Geschichte der Statuten für das „Sekretariat" des Königlichen Predigerseminars, die z. B. zwischen 1836, 1838, 1843, 1860 mehrfach neu verfaßt, angenommen bzw. „außer Kraft gesetzt" worden sind; vgl. Archiv des Predigerseminars, Nr 546.

3 Archiv des Predigerseminars Wittenberg (PS), Jahresbericht der Seminargemeinschaft (SG) über die Zeit von 1927-1928, 9.

4 AaO., Jahresbericht der SG über die Zeit von 1929–1930, 10.

5 AaO., Jahresbericht der SG über die Zeit von 1931–1932, 17.

6 AaO., Jahresbericht der SG über die Zeit von 1932–1933, 17.

7 AaO., Jahresbericht der SG über die Zeit von 1928–1929, 16.

8 Vgl. aaO., Jahresbericht der SG über die Zeit vom 25. Februar 1907 bis zum 9. März 1909, dort auch das aufgebrochene Siegel.

9 Ebd.

10 Vgl. ebd.

11 AaO., handschriftlicher Jahresbericht der SG von 1908.

12 AaO., gedruckter Jahresbericht der SG über die Zeit von 1908–1909.

13 Vgl. Das Königliche Predigerseminar zu Wittenberg in seinen ersten Anfängen. Aufzeichnungen aus dem Jahre 1818 von H. E. Schmieder; handschriftlich im Archiv des PS; gedruckt, 1892.

14 H. E. Schmieder, Das Königliche Predigerseminar, 14.

15 AaO., 15.

16 AaO., 16.

17 AaO., 14.

18 F. D. E. Schleiermacher, Brouillon zur Ethik, in: ders., Philosophische Schriften (Texte zur Philosophie- und Religionsgeschichte), hg. von J. Rachold, 1984, 128–263, 168.

19 AaO., 175; Schleiermacher war 1817 zum Vorsteher der ersten unierten Synode Berlins gewählt worden!

20 H. E. Schmieder, Das Königliche Predigerseminar, 22.

21 AaO., 28.

22 AaO., 30.

23 Das Königliche Predigerseminar in Wittenberg, 1862, 33.

24 O. Dibelius, Das Königliche Predigerseminar zu Wittenberg 1817–1917, 322.

25 J. Henkys, Seelsorge und Bruderschaft, 1970; J. Henkys war lange Jahre Dozent am Predigerseminar Brandenburg/H. (EKU).

26 BSLK, 449.

27 Vgl. J. Henkys, Seelsorge und Bruderschaft, 5–16.

28 Vgl. aaO., 17–24.

29 Vgl. aaO., 25–37.

30 AaO., 30.

[31] Vgl. aaO., 38f.
[32] Vgl. Archiv des PS, Semesterbericht 1968/69.
[33] Vgl. Theologie und Freundschaft. Wechselwirkungen „Eberhard Bethge und Dietrich Bonhoeffer" (FS E. Bethge), hg. von Chr. Gremmels und W. Huber; 1994.
[34] E. Bethge, Auszug aus Wittenberg, in: ders., In Zitz gab es keine Juden. Erinnerungen aus meinen ersten vierzig Jahren, 1989, 83–87, 83f.
[35] Vgl. jetzt auch D. Bonhoeffer, Illegale Theologenausbildung: Finkenwalde 1935–1937, Dietrich Bonhoeffer Werke, Bd.14, hg. von O. Dudzus und J. Henkys, 1996.
[36] Vgl. D. Bonhoeffer, Widerstand und Ergebung, 1957, 217f. Vgl. jetzt auch D. Bonhoeffer Werke, Bd.8, hg. von Chr. Gremmels, E. Bethge und R. Bethge, 1998.
[37] Vgl. E. Bethge, Der Freund Dietrich Bonhoeffer und seine theologische Konzeption von Freundschaft, in: Theologie und Freundschaft, 29–50, 39ff.
[38] D. Bonhoeffer, Fragmente aus Tegel, Dietrich Bonhoeffer Werke, Bd. 7. hg. vo R. Bethge und I. Tödt, 1994, 176.
[39] Vgl. S. Bobert-Stützel, Liebt ein Freund mehr als ein Bruder? Zur Problematik der Verhältnisbestimmung von Bruderschaft und Freundschaft bei Dietrich Bonhoeffer unter pastoraltheologischem Aspekt; in: Theologie und Freundschaft, 89–109.
[40] Vgl. Tradition im Wandel. Das Evangelische Predigerseminar zu Wittenberg in den Jahren 1919 bis 1966, 1966.
[41] P. Wetzel ,Neues will werden, in: Tradition im Wandel, 48–62, 51.
[42] AaO., 52.
[43] Theologie zum gemeinsamen Nutzen. Vom Evangelischen Predigerseminar Wittenberg zu seinem 175-jährigen Bestehen erarbeitet (1817–1992), hg. von H. Schulz / G. Backhaus / P. Freybe; in der Bibliothek des PS.
[44] Vgl. H. Schulz, Im Blickpunkt: Beten. Theologische Informationen für Nichttheologen, 1982, 7.
[45] M. Josuttis, Aspekte einer zeitgenössischen Pastoraltheologie, Bd. 2: Der Traum des Theologen, 1988.
[46] AaO., 161.

Angaben zur Person

Inge Mager, geb. 1940 in Westpreußen, Dr. theol.; Professorin für Kirchengeschichte an der Universität Hamburg, vorher Professorin für niedersächsische Kirchengeschichte an der Georg-August-Universität Göttingen. Dissertation über Georg Calixt (1969). Habilitation über die Konkordienformel (1986); zahlreiche Veröffentlichungen zu Themen und Personen aus Reformation, Spätreformation, Frühpietismus, lutherischer Orthodoxie und Kirchenkampf; daneben Studien zur Frömmigkeits- und Frauengeschichte sowie zur Hymnologie.

Hans Georg Thümmel, geb. 1932; 1951–1955 Studium der Theologie, Philosophie, Kunstgeschichte in Greifswald, 1956–1990 Assistent am Victor-Schultze-Institut für Christliche Archäologie und Geschichte der kirchlichen Kunst in Greifswald, 1958 Dr. theol./ Greifswald, 1967 theologische Habilitation/ Greifswald, 1992 Dr. phil./ Kunstgeschichte, Marburg; 1990–1997 Professor für Kirchengeschichte, Christliche Archäologie und Geschichte der kirchlichen Kunst. Besondere Arbeitsgebiete: Dogmen- und Theologiegeschichte, Christliche Ikonographie.

Volker Gummelt, geb. 1963, Dr. theol.; Privatdozent an der Theologischen Fakultät der Ernst-Moritz-Arndt-Universität Greifswald, Theologiestudium in Greifswald und Leipzig, 1992 Promotion mit einer Arbeit zu Bugenhagens Jesajavorlesung, seit 1992 wissenschaftlicher Assistent in Greifswald, 1996/97 Habilitation im Fach Kirchengeschichte. Forschungsschwerpunkte: Reformationszeit, Pietismus und lutherische Orthodoxie.

Ernst Koch, geb. 1930, Dr. theol. habil.; lebt im Ruhestand in Leipzig nach Tätigkeit als Pfarrer, Predigerseminarleiter in Eisenach und Dozent für Kirchengeschichte und Philosophie am Theologischen Seminar (später Kirchliche Hochschule) in Leipzig. Veröffentlichungen zur Kirchen- und Theologiegeschichte des 16. bis 19. Jahrhunderts.

Martin Brecht, geb. 1932 in Nagold (Schwarzwald) als Sohn der dortigen Pfarrleute. Studium der Theologie in Tübingen und Heidelberg. 1961 Promotion zum Dr. theol., 1965 Habilitation für das Fach Kirchengeschichte jeweils in Tübingen. 1964 Studieninspektor und 1970 Ephorus des Tübinger Stifts. 1975–1997 Prof. für Kirchengeschichte in Münster/W. Hauptsächliche Forschungsgebiete: Reformation (Luther) und Pietismus. Neben zahlreichen Veröffentlichungen: Martin Luther (Biographie), Bd. 1–3, 1981/86/87.

Richard Wetzel, geb. 1936 in Rottenburg/Neckar. 1955–1961 Studium der klass. Phil., kath. und ev. Theologie in Tübingen, Wien, Paris. Promotion an der kath. theol. Fakultät Tübingen über Exegese der Kirchenväter (1978). 1963–1967 Assistent am Leibniz Kolleg. 1969–1971 wiss. Mitarbeiter am Institut für ntl. Textforschung in Münster/Westf., 1971–1984 im Sonderforschungsbereich Spätmittelalter und Reformation (Teilprojekt Johann von Staupitz), seit 1985 in der Melanchthon-Forschungsstelle / Heidelberg.

Eingangshalle zum Augusteum/Predigerseminar

Wittenberger Sonntagsvorlesungen im Evangelischen Predigerseminar

Das Lutherjahr 1983 aus Anlaß des 500. Geburtstages von Dr. Martin Luther war Auftakt der Sonntagsvorlesungen im Evangelischen Predigerseminar Wittenberg. Unter der Federführung des damaligen Direktors Dr. Hansjürgen Schulz sollte ein inhaltlicher Beitrag zum Lutherjahr angeboten werden.

Die Resonanz in der Wittenberger Öffentlichkeit war so groß, daß sogleich eine Fortsetzung der Reihe geplant wurde. Angesichts der begrenzten Möglichkeiten in der damaligen DDR-Gesellschaft war damit unter dem Dach einer kirchlichen Einrichtung ein offenes Angebot in einem geschützten Freiraum eine willkommene Gelegenheit für geistige Anregung und Auseinandersetzung. In den Jahren um 1989 war die Brisanz solch einer Veranstaltung unübersehbar.

In loser Anlehnung an die Tradition der alten Wittenberger Universität, deren Nachfolgeeinrichtung das „Königliche Predigerseminar" seit 1817 ist, findet diese Reihe der Sonntagsvorlesungen jeweils im ersten Halbjahr im Anschluß an den Gottesdienst sonntags von 11.15–12.15 Uhr statt. Damit leistet die zentrale Ausbildungsstätte der Evangelischen Kirche der Union für Theologen und Theologinnen einen Beitrag für die interessierte Öffentlichkeit Wittenbergs und darüber hinaus.

Die Themen-Reihen (je sechsmal) seit 1983:

	1983 –	Zur Wirkungsgeschichte der Theologie Luthers
	1984 –	Zur Theologie Friedrich D. Schleiermachers
	1986 –	Christliche Themen in der Literatur des 19. und 20. Jahrhunderts
	1987 –	Einmischungen in die Schöpfung
	1988 –	Biblische und christliche Themen in der Weltliteratur der Neuzeit
	1989 –	Grundfragen des christlichen Glaubens
	1990 –	Kunst und Theologie
	1991 –	Theologie und Glaube in unserer Zeit
	1992 –	Religionen und Konfessionen in unserer Welt
	1993 –	Theologie und Glaube in unserer Zeit
	1994 –	„Leben" – im Spiegel der Reformation
	1995 –	Frauen mischen sich ein
	1996 –	…da Tod und Leben rungen
	1997 –	Man weiß so wenig über ihn (Philipp Melanchthon)
	1998 –	Luther und seine Freunde
ab 17. Januar	1999 –	Mönchshure und Morgenstern (Katharina v. Bora, die Lutherin)

An dieser Stelle sei den vielen namhaften Referentinnen und Referenten gedankt, die in aller Regel ihren Einsatz mit Freude und ohne Honorar geleistet haben.

Peter Freybe

ZUM LUTHERJAHR 1996

Der 450. Todestag Martin Luthers am 18. Februar 1996 war Anlaß und Grund genug für eine Vorlesungsreihe zum Lebensthema Sterben und Tod. Auf dem Wege zu einer zeitgemäßen ars moriendi werden Spuren aufgenommen, die zu einer „Kunst zu leben – Kunst zu sterben – Kunst zu lieben" führen.

ISBN 3-9804492-4-6

ZUM MELANCHTHONJAHR 1997

Was war das für ein Mensch? Man weiß so wenig über ihn. Der 500. Geburtstag Philipp Melanchthons am 16. Februar 1997 war Anstoß für eine Vorlesungsreihe, um mehr zu wissen über diesen außergewöhnlichen Menschen. Die Frage nach dem einzelnen Menschen hat überraschenderweise eine ganze „Summe des Menschseins" an den Tag gebracht.

ISBN 3-9804492-9-7

ZUM KATHARINA-VON-BORA-JAHR 1999

Sich einzumischen in gesellschaftliche Verhältnisse, das ist eine gute protestantische Tugend. Neben den Reformatoren haben das auch immer wieder Frauen gewagt und getan. Von solchen „Protestantinnen" und ihren Aufbrüchen lebt die Geschichte bis heute. Zum 500. Geburtstag von Katharina von Bora, der Lutherin liegt die Reihe der Sonntagsvorlesungen von 1995 in 2. Auflage vor.

ISBN 3-9804492-2-X

KATHARINA VON BORA

So außergewöhnlich wie der Reformator war auch die Frau an seiner Seite, so spannend wie sein Lebensweg verlief auch der ihre. 1499 als Tochter eines verarmten Adligen geboren, kam sie mit zehn Jahren in das Kloster Nimbschen. Unter dem Einfluß der Reformation floh sie von dort mit anderen Nonnen nach Wittenberg. 1525 heiratete sie Martin Luther. Dem Ehepaar wurden sechs Kinder geboren, von denen vier das Erwachsenenalter erreichten. Die „berühmteste Pfarrfrau der Welt" führte nicht nur einen großen Haushalt, sondern sie war ihrem Mann auch eine unentbehrliche Gefährtin und Beraterin. 1552, sechs Jahre nach dem Tode ihres Gatten, starb sie in Torgau.

ISBN 3-9804492-1-1